# MEMORIA de la HISTORIA

Personajes

*Memoria de la Historia* pretende
ofrecer a los lectores la Historia contada por
quienes la hicieron, por los mismos *personajes* que
en vez de figurar en las páginas de los libros como
objeto pasivo, adquieren voz y nos cuentan su vida
y su peripecia en primera persona. La Historia
como una novela personal, autobiográfica, en la
que todo lo que aparece en estas páginas es
verdad, con hechos ciertos y comprobados, pero
que se presentan con la inmediatez y el
dramatismo que da al relato la voz del
protagonista, supuesto historiador de sí mismo
gracias a la pluma de unos escritores que
consiguen el difícil y apasionante equilibrio entre
los materiales de la crónica, tratados con el
máximo respeto, y el enfoque que corresponde a la
más amena de las narraciones novelescas. Otra
vertiente de estas semblanzas es la evocación de
*episodios* del pasado en tercera persona con todo
el rigor que exige el trabajo del historiador y la
amenidad de la novela.

Éste es el objetivo de una colección que
aspira a fundir lo más atractivo que pueden
ofrecer la historia y la literatura.

# Historias de las reinas de España

*

## La Casa de Austria

# Carlos Fisas

# Historias de las reinas de España

\*

## La Casa de Austria

Planeta

COLECCIÓN MEMORIA DE LA HISTORIA/2
Dirección: Rafael Borràs Betriu
Consejo de Redacción: María Teresa Arbó, Antonio Padilla,
   Marcel Plans y Carlos Pujol

© Carlos Fisas, 1989
© Editorial Planeta, S. A., 1991
   Córcega, 273-279, 08008 Barcelona (España)
Ilustración al cuidado de Ester Berenguer
Diseño colección y cubierta de Hans Romberg
   (realización de Jordi Royo)
Ilustraciones cubierta: fragmentos de «Isabel
   de Borbón», de Velázquez, y de «La caza
   del tabladillo», de Mazo, Museo del Prado,
   Madrid (fotos Oronoz)

Procedencia de las ilustraciones: A. y R. Mas,
   Anderson-Giraudon, Archivo Editorial
   Planeta y Mas

1.ª a 10.ª ediciones: de octubre de 1988
   a mayo de 1991
11.ª edición: noviembre de 1991
Depósito Legal: B. 39.178-1991
ISBN 84-320-4498-9
Impresión: Duplex, S. A., Ciudad de
   Asunción, 26, int. letra D, 08030 Barcelona
Encuadernación: Industria de Relligats, S. A.
Printed in Spain - Impreso en España

# Índice

# Juana I

*Toledo, 1479 — Tordesillas, 1555*

En uno de mis libros anteriores, *Historia de las historias de amor,* he hablado algo extensamente de esta reina. Fuerza será que me repita en algunos momentos.

Doña Juana nació el 6 de noviembre de 1479 en el viejo alcázar de Toledo. Se le impuso el nombre de Juana en recuerdo de su abuela Juana Enríquez, madre del rey católico don Fernando, a la que llegó a parecerse tanto que, en broma, la reina Isabel la llamaba «suegra» y don Fernando «madre».

No era hermosa; pero, según los retratos de Juan de Flandes, tenía un rostro ovalado muy fino, ojos bonitos y un poco rasgados; el cabello fino y castaño, lo que la hacía muy atractiva. Se conservan dos retratos hechos por el mismo pintor, uno en la colección del barón Thyssen-Bornemisza, en que aparece vestida muy pacatamente, tal como correspondía al ambiente de la corte española. El otro, actualmente en el museo de Viena, la muestra ya provista de un generoso escote, tal como correspondía al ambiente más liberal de la corte borgoñona. Este último fue realizado, naturalmente, cuando doña Juana ya estaba en Flandes, después de su casamiento.

Desde pequeña dio muestras de tener un carácter muy extremado. Educada piadosamente, a veces dormía en el suelo o se flagelaba siguiendo las historias de los santos que le contaban. Como es lógico, sus padres y sus educadores procuraban frenar estas tendencias. Por otra parte aprendió no sólo a leer y a escribir, sino que tuvo una educación esmerada, y a los quince años leía y hablaba correctamente el francés y el latín: no en balde había tenido como maestra en esta última lengua a la conocida Beatriz Galindo, llamada *la Latina,* fundadora del convento que después dio su nombre a un conocido barrio de Madrid.

A los dieciséis años los Reyes Católicos casaron a su hija con el archiduque Felipe de Austria, hijo del emperador Maximiliano I de Alemania y de la duquesa María de Borgoña, y soberano de Flandes por fallecimiento de su madre.

En 1496 Balduino, bastardo de Borgoña, casó por poderes a Felipe de Austria con doña Juana. Para reunirse con don Felipe partió de Valladolid la comitiva que acompañaba a la infanta a Flandes. Lo formaban muchas damas y caballeros y estaba presidida por don Fadrique Enríquez almirante de Castilla. La infanta embarcó en Laredo el 22 de agosto, para desembarcar en Rotterdam el 8 de setiembre. La flota era de ciento veinte barcos y quince mil hombres.

De Rotterdam y por Amberes llegó a Lila, donde al cabo de dieciocho días llegó el archiduque.

A Felipe se le conoce con el sobrenombre de *el Hermoso,* aunque más parece seguro que este apodo se lo pusieron posteriormente. Según nuestros cánones actuales de belleza no nos parece tan hermoso como decían, pero sin duda debía de tener mucho *sex-appeal,* puesto que sólo al verse y pensando que la boda tenía que celebrarse cuatro días después decidieron, de común acuerdo, llamar al sacerdote Diego Villaescusa para que los casara aquella misma tarde y poder adelantar la noche de bodas; lo que indica la prisa que debían de tener los jóvenes, especialmente él, que había sido educado en un ambiente más liberal que el de la corte española y había tenido varias aventuras, si no sentimentales por lo menos sexuales; y por lo que sucedió después, no parece que el matrimonio le reprimiese sus impulsos, lo que provocó desde los primeros momentos escenas de celos, peleas y recriminaciones. Al parecer doña Juana se sintió herida en su amor o, tal vez, para ser más precisos, en su amor propio, que a veces estos dos sentimientos se confunden.

Después de unos días en Lila fueron a Amberes y más tarde a Bruselas. Muertos los hermanos de doña Juana el año 1500, pasó a ser heredera de Castilla y Aragón.

La vida en la corte flamenca era muy distinta a la española, hasta el punto que la reina Isabel, a la que habían llegado noticias de que Juana se confesaba con clérigos franceses tachados en España de «frívolos, libertinos y bebedores empedernidos», envió a Flandes a un fraile de su confianza para que le informase. A su regreso fray Tomás de Matienzo, que tal era su nombre, aseguró a la reina que la religiosidad de su hija no corría peligro, aunque el ambiente chocaba un poco y aun un mucho con las costumbres hispanas.

Desde los primeros momentos ya dio muestras Juana de un notable desequilibrio sentimental. Bien conocida es la anécdota acaecida con una de sus damas, muy bella, joven y rubia, a la que Juana descubrió con un billete en su mano y suponiéndolo —seguramente con fundamento— escrito por su consorte, le exigió se lo entregara. La damita, por un exceso de coraje o de miedo, desobedeció la orden, prefiriendo comerse la misiva, a lo que respondió la archiduquesa de Austria abalanzándose sobre la chica y produciéndole un daño que algunos cronistas reducen a una bofetada y otros elevan a un corte de trenzas y posterior señalización del bello rostro con las mismas tijeras utilizadas para el corte.

Felipe, mostrando de pronto sus ambiciones, se autotituló en Flandes príncipe de Asturias, lo que provocó el enojo de la corte española.

El 24 de febrero de 1500 se celebraba una fiesta en el castillo de Gante. Doña Juana se encontraba embarazada de nueve meses, pero, a pesar de ello, quiso acudir a la fiesta para vigilar a su esposo. En medio del sarao y el bullicio se le presentaron los dolores del parto; sus damas la retiraron a una habitación en la que había el sillico destinado a ciertos menesteres que es excusado decir, y allí, en un retrete, dio a luz al príncipe Carlos, que luego sería el rey Carlos I de España y emperador V de Alemania.

En diciembre de 1501 doña Juana y don Felipe salieron de Flandes con destino a España, donde, por fallecimiento de otros hijos de los Reyes Católicos, tenían que ser proclamados príncipes de Asturias y herederos del trono. Un mes después llegaron a Fuenterrabía y, pasando por Burgos, Valladolid y Madrid, llegaron a Toledo, donde se encontraron con los Reyes Católicos. El 22 de mayo se reunieron las cortes y doña Juana y don Felipe fueron jurados como príncipes de Asturias. Posteriormente pasaron a la corona de Aragón.

En este reino hubo polémica porque en él no se admitía la herencia por vía femenina, aunque los partidarios de la infanta, como Gonzalo García de Santamaría, alegaban que ya había habido antecedentes de sucesión femenina en la corona de Aragón en el siglo XII.

Don Felipe desconocía el castellano y los Reyes Católicos no sabían el francés, por lo que doña Juana servía de intérprete. Demasiado presumido y ostentoso, el yerno no resultó del agrado de los suegros; olvidando que se hallaba en presencia del matrimonio real que mayores posesiones tenía en el mundo cristiano, se mostró don Felipe muy desdeñoso y altivo con ellos; si la corte de Castilla no pudo por menos de quedar deslumbrada y hasta escandalizada del lujo que desplegaba el príncipe don Felipe, éste, que, pese a sus pomposos títulos, al presente era propietario de estados no mucho mayores que los que tenían algunos nobles castellanos, hizo extensivo el desdén que prodigaba a su esposa y suegros a todos los cortesanos de estos reinos, pareciéndole los caballeros toscos y vulgares, y las damas en exceso recatadas y honestas.

Juan Antonio Vallejo-Nágera, en su magnífico libro *Locos egregios,* llama la atención sobre el hecho de que ya entonces daba doña Juana muestras de alteración psíquica, que los médicos llamaron «melancolía».

«Si hubiera resultado evidente para su entorno que la melancolía derivaba primariamente de la separación del esposo, así lo hubieran advertido los médicos. Esta interpretación, ahora siempre presente, sólo aparece después formando parte de la leyenda. Tampoco los síntomas son de una "depresión reactiva", sino que aparecen coloreados del embotamiento afectivo esquizofreniforme del que ya tuvo atisbos cuatro años antes. Los médicos de cámara Soto y Gutiérrez de Toledo los describen así: "Algunas veces no quiere hablar; otras da muestras de estar "transportada"..., días y noches recostada en un almohadón con la mirada fija en el vacío."»

Sale con doña Isabel hacia Segovia y allí continúan las anormalidades. Pasa noches en vela y días enteros sin comer, para hacerlo de pronto vorazmente. Alterna la inmovilidad del «transporte» con arrebatos de ira, en los que nadie osa contrariarla.

A su madre le parece clara la posibilidad de una pérdida permanente de la razón. No se explica de otro modo que, a poco de marchar don Felipe, presente a las Cortes de Castilla el proyecto de ley en que hace constar la significativa salvedad de que si doña Juana se encontrara ausente, o mal dispuesta, *o incapaz de ejercer en persona* las funciones reales, ejercería la regencia su padre don Fernando.

En 1503 la princesa doña Juana da a luz un hijo que se llamó Fernando y que después fue emperador de Alemania. Don Felipe quiere regresar a Flandes, donde se divierte mucho más que en España. Doña Juana se trastornó hasta tal punto que, según palabras de González Doria, «al ver partir a su esposo cayó en estado de desesperación. Trasladados los reyes con su hija y su nieto Fernando a Medina del Campo, pronto dio en pensar doña Juana que podía aún alcanzar al marido antes de que embarcara si corría tras él por cualquier camino, y pensarlo e intentarlo todo fue uno. Tal y como se encontraba en el lecho, descalza y sin ropa de abrigo, echó a andar por los corredores del castillo de la Mota. La detuvo el obispo de Córdoba, que estaba encargado de su custodia esa noche; la princesa forcejeaba con él, y el prelado ordenó se avisase a la reina en vista de que doña Juana se resistía a abandonar la plaza de armas de la fortaleza, hasta donde había conseguido llegar pretendiendo que alzaran los guardias el rastrillo y le franquearan el puente levadizo. Estaba doña Isabel I indispuesta aquel día y se había retirado temprano a descansar, pero, a pesar de ello, acudió a la llamada del obispo, y no sin trabajo pudo reducir a su hija, si bien escuchó de ésta insolentes palabras *que jamás las habría tolerado si no oviese conocido su estado mental,* según refería la propia doña Isabel en carta dirigida a su embajador en Bruselas».

La escena fue terrible porque Juana rechazaba airada a las damas de la corte y a la servidumbre y sacudía los barrotes de las rejas. No consiguieron vestirla; pasó al raso aquella fría noche de noviembre y el otro día. A la noche siguiente encendieron una gran hoguera en el patio, a la que se acercó algunas veces aterida de frío. La reina católica pensó en su madre, que en 1493 había muerto, no lejos de Medina, en Arévalo, víctima de una dolencia mental.

La situación entre la reina Isabel y su hija doña Juana se hizo tan tensa que Cisneros, confesor de la reina católica, aconsejó a la reina que la dejara partir, y el 1 de marzo Juana salía hacia Laredo, donde permaneció dos meses esperando que el tiempo fuera propicio para la navegación hacia Flandes.

Juana marcha a Flandes con tal desazón que no quiso

llevarse en su séquito a ninguna dama española: «Tan sola y desacompañada de los de acá que recibimos harta pena dello.» Estas palabras de Isabel a su embajador en Flandes demuestran lo profundamente afectada que quedó su madre. La reina, de carácter prudente y reflexivo, no acertaba a comprenderla. Había quedado estupefacta ante las explosiones de su hija, que, como ella decía, «en nada convenían a la dignidad de su cargo». Juana antepuso siempre el apasionado amor que sentía hacia su esposo a cualquier otra consideración. Esta actitud ha sido calificada por la mayoría de los historiadores como de «obsesión erótica»; tampoco sus contemporáneos le ahorraron severas críticas: «No ve en el archiduque más que el hombre y no al esposo y gobernante.»

Al llegar a Flandes vuelven a desatarse los celos incontrolados. Atribuye a don Felipe amores con todas las damas de su palacio.

No quiere a damas flamencas a su alrededor y se rodea de esclavas moriscas que ha traído de España y que se ocupan a diario de ella, bañándola y perfumándola. Varias veces al día se lava la cabeza, síntoma que, según los psiquiatras, es característico de la esquizofrenia. Cuando sabe que su marido está en la habitación de al lado, se pasa la noche dando golpes en la pared.

El tesorero de doña Juana, Martín de Moxica, lleva un diario, que se ha perdido, en el que anota los sucesos de cada día y las anormalidades, cada vez mayores, de doña Juana y lo envía a los Reyes Católicos. El efecto que produjo nos lo podemos imaginar cuando la reina Isabel, tres días antes de su muerte, modifica su testamento, indicando que si «su muy querida y amada hija, aún estando en España no quisiera o no pudiera desempeñar las funciones de gobierno, el rey Fernando debía reinar, gobernar y administrar en su nombre».

Castilla se dividió en dos bandos: uno partidario de don Fernando, en quien veían dotes de gobernante y continuador de la política de doña Isabel, y otro, afín a don Felipe, del que esperaban la concesión de privilegios otorgados antiguamente por los monarcas castellanos y que habían sido recortados por los Reyes Católicos. Por otra parte, algo de ambición debía de haber, por cuanto, sabiendo que don Felipe estaba ignorante de las leyes y costumbres de Castilla, era forzoso que acudiese a la nobleza para aconsejarse, lo cual les permitiría la libertad de abusar del poder.

Don Felipe, hostil al rey católico, se pone en contacto con Francia, y don Fernando, para contrarrestar estas negociaciones, concierta su matrimonio con Germana de Foix, sobrina de Luis XII, lo que hace que los cortesanos flamencos intenten que Juana firme documentos que comprometan al rey, a lo que se negó doña Juana, exclamando:

—¡Dios me libre de hacer nada contra la voluntad de mi padre y de permitir que en vida de mi padre reine en Castilla otra persona! Que si el rey Fernando se casa otra vez es para vivir como buen cristiano.

Don Felipe se propone entonces ir a Castilla sin su esposa, pero don Fernando le avisa que, de hacerlo así, será tratado como extranjero.

El 8 de enero de 1506 don Felipe y doña Juana embarcan para trasladarse a España definitivamente. Un grupo de damas de la corte tuvo que ser embarcado a escondidas, pues doña Juana se negó a hacerlo si había otras mujeres en la comitiva.

Vallejo-Nágera, en el libro ya citado, comenta el hecho diciendo: «En doña Juana se perfila en esta primera etapa una forma de esquizofrenia llamada "paranoide" porque en ella dominan (a remedo de la paranoia y por eso la adjetivación de paranoide) las ideas delirantes, parcialmente sistematizadas en este caso, en un delirio de celos. El que los celos estén ampliamente motivados, como en doña Juana, no contradice que su formulación sea enfermiza y se llevan a exageraciones irreales, como la de pretender que no acompañase ninguna mujer a la flota. A ello no puede acceder don Felipe, pues el desembarco en España sin una sola dama acompañando a la reina sería interpretado automáticamente como que llegaba prisionera. Por eso las vuelve a embarcar sin que Juana se percate de ello.»

Los reyes embarcaron en Zelanda, una tormenta los obligó a tomar tierra en Falmouth. El monarca inglés los recibió en Windsor y tuvo doña Juana la satisfacción de volver a abrazar a su hermana Catalina de Aragón, viuda del príncipe de Gales, Arturo, y que, después casaría con el hermano de ése, Enrique, que pasará a la historia con el numeral VIII. Para hacerse una idea de la catadura de

Felipe, basta decir que entregó al rey inglés el duque de Suffolk, que, fiado en la caballerosidad del flamenco, se había refugiado en Flandes huyendo de Enrique VII.

Por su parte, el rey católico había enviado una embajada a su hija y a su yerno comunicándoles que el día de Reyes de 1506 había firmado, por su parte, la que fue llamada con el nombre de Concordia de Salamanca, por la que todos los documentos se encabezarían y expedirían con el nombre de doña Juana, don Felipe y don Fernando, dándose a los tres título de reyes: aquélla como propietaria, su esposo como consorte y su padre como gobernador y administrador. Los tres habrían de firmar conjuntamente para que el documento expedido tuviese validez, y si la reina no podía hacerlo bastaría firmasen don Felipe y don Fernando, siendo suficiente la firma de uno solo de ellos si el otro se hallaba ausente del reino; las rentas de la corona se partirían en dos partes iguales, siendo una mitad para el matrimonio y la otra para el rey Fernando V, quedando en beneficio exclusivo de éste las provinientes de los maestrazgos de Santiago, Calatrava y Alcántara; por último, los bandos y ordenanzas se pregonarían en nombre y por orden de *Sus Altezas los Reyes de Castilla,*[1] entendiéndose que tal tratamiento y título englobaban conjuntamente a los tres.[2]

El 27 de junio don Fernando y don Felipe juraban en Benavente la citada Concordia de Salamanca, pero ambos soberanos, convencidos de la incapacidad de doña Juana para reinar, tenían preparadas una serie de cláusulas secretas para sacarlas a relucir en el momento que les pareciese oportuno y salvar así sus intereses.

Hago gracia al lector del sinfín de tejemanejes y triquiñuelas que se sucedieron desde aquel momento. Los visitantes de doña Juana se dividían entre los que, como don Pedro López de Padilla, procurador de Toledo, aseguraban al salir de la entrevista:

—Las primeras palabras eran las de una persona en su juicio, pero al seguir hablando parecía como si se saliese de la razón.

Y que conste que don Pedro fue leal a la reina hasta su muerte.

---

1. El título de majestad no empezó a usarse hasta Carlos I.
2. Véase Fernando González-Doria (Bibliografía).

Otros, como el almirante de Castilla, visitan a la reina y luego declaran:

—Nada contestó que no fuese de razón.

Pero esta lucha entre suegro y yerno terminaría pronto. El 17 de setiembre, encontrándose con la reina en Burgos, se puso a jugar a pelota; al concluir la partida sudoroso como estaba, bebió un jarro de agua helada. Al día siguiente no pudo levantarse a causa de la fiebre. La reina le cuidó, no separándose ni un momento de su lado, hizo que le montasen una cama al lado de la de su marido y allí estuvo hasta la muerte de Felipe I el 25 de septiembre de 1506.

Empieza ahora la parte de la vida de doña Juana más explotada por los autores románticos. La reina no derramó una sola lágrima y dio severas órdenes para que solamente hombres velasen el cadáver, prohibiendo que ninguna mujer se acercase a él. Dicen que estuvo presente mientras lo embalsamaban y no quiso que le enterrasen, sino que, pasados algunos días, mandó que el féretro fuese trasladado a la cartuja de Miraflores por ser el monasterio de cartujos —es decir, de hombres—, e hizo que lo instalasen en una dependencia de clausura para que ninguna mujer pudiese verlo, salvo ella por privilegio especial. Llevaba doña Juana colgada del cuello la llave del ataúd y, cada vez que lo visitaba, lo abría para contemplar el cadáver, que por cierto estaba mal embalsamado y hedía.

Por el mes de noviembre hubo un brote de epidemia en Burgos y la corte decidió trasladarse a otra ciudad, a lo que se opuso doña Juana por no alejarse de la cartuja de Miraflores. Por fin, el 20 de diciembre se consiguió que doña Juana consintiese en trasladar el cuerpo de su esposo a Granada para ser enterrado junto al de Isabel I. Dice González-Doria: «Envió su corte por delante de ella y solamente llevó en su cortejo varios frailes y una media docena de criadas viejas y feas; a la pobre doña Juana la atormentaban los celos incluso ahora que *el Hermoso* de don Felipe no era ya nada más que unos míseros despojos pestilentes. Escoltaban el féretro soldados armados portando antorchas, los cuales tenían órdenes muy rigurosas de la reina de impedir que al pasar por las aldeas pudiese ninguna mujer acercarse al ataúd de don Felipe. Iba ella unos ratos en carruaje y otros cabalgando en enlutado corcel para poder acercarse a quienes llevaban las andas

sobre las que se transportaba el féretro; ¡infelices portea-
dores que debían ser renovados frecuentemente por serles
insufrible el hedor! Como solamente se caminaba de noche, se hacía parada al llegar el día en la iglesia de algún
lugar en donde los frailes del cortejo decían misas y pasaban la jornada entonando una vez tras otra el oficio de
difuntos. Una de estas paradas se efectuó en un convento
que había en mitad de la campiña, pero al darse cuenta la
reina de que se trataba de un cenobio de monjas, aunque
eran de clausura, ordenó se sacase de allí rápidamente el
féretro y se acampase fuera del convento; es éste el momento que, idealizado en bastantes detalles sin excesivo
rigor histórico, ha inmortalizado Francisco Pradilla en un
famosísimo cuadro.»

Dos cosas son de notar en este célebre cuadro. Primero, que tanto la reina como las damas que la acompañan
van vestidas de negro, lo cual era una novedad, pues el luto
en aquella época se representaba con el color blanco.
Fueron precisamente los Reyes Católicos los que en su
*Pragmática de luto y cera* impusieron el color negro. Poco
antes, un edicto del concejo de Burgos mandaba que en
caso de luto no se llevase el vestido blanco «so pena que
sea rasgada la ropa que trajesen e si alguno por pobreza no
pudiere haber ni comprar luto o margas que haya ropas
pretas». Marga dice el diccionario es: «jerga que se emplea
para sacos, jergones y otras cosas semejantes y que en
época antigua se llevó como luto riguroso»; preto o prieto
significa negro. Lo segundo a notar es la presencia de
mujeres en el cortejo de la reina. Ésta había autorizado a
unas cuantas damas viejas y feas a que la acompañasen,
manteniéndose siempre lejos del féretro. Puesto que su
marido había muerto ya no había peligro de seducción.

Ludwig Pfandl dice que algunos contemporáneos pre-
tendían saber que doña Juana estaba poseída por la idea
fija de que el muerto había sido embrujado por mujeres
envidiosas, que su muerte era sólo aparente y temporal,
que al cabo de cierto plazo volvería a la vida y que ella vivía
con el constante temor de que podría dejar escapar este
momento.

A todo esto doña Juana estaba embarazada, y al llegar
a Torquemada dio a luz una niña que se llamó Catalina y
llegó a ser reina de Portugal. Sobrevínole el parto en
Torquemada, y aunque el alumbramiento fue rápido y

feliz, pasáronse apuros por no haber comadrona en el lugar y tuvo que ejercer de tal doña María de Ulloa. Mientras la reina se disponía a continuar su camino hasta depositar en Granada los restos del archiduque y cundía el descontento y se levantaban las pasiones contra los ambiciosos que disponían de los asuntos de gobierno por desidia e incapacidad de la soberana, llegó la primavera y encendióse la peste en Torquemada y, aunque morían muchos y el azote no respetaba a los palaciegos, la reina, desoyendo consejos bien enderezados, no disponía su salida del pueblo, esperando la resurrección de su esposo, y sólo accedió a establecerse en Hornillos, distante una legua de Torquemada, a donde se llevó, como siempre, el fúnebre depósito.

Procedente de Nápoles y Valencia, el rey don Fernando se entrevistó con su hija en Tórtoles, y allí la desgraciada reina dio a conocer su decisión de no meterse en asuntos de gobierno.

Desde Tórtoles pasó la corte a Santa María del Campo y de aquí a los Arcos. Doña Juana, precedida del cofre mortuorio, caminaba de noche, según su costumbre, y tenía la imaginación tan llena del recuerdo de su marido, tan vivo se mantenía su delirio amoroso, tanto se iba acentuando su frenalgia, que su espíritu no tenía aptitud para ocuparse en otros asuntos que los que giraban alrededor de su vesania, y en esta situación, cuando la reina no había consentido en autorizar el sepelio del archiduque, propusiéronle los cortesanos que ¡contrajera segundas nupcias con el rey de Inglaterra...! Con efecto, creyendo el tal monarca que el estado de doña Juana no procedía ni más ni menos que de los malos tratos de su esposo, solicitó la mano de la reina loca por convenir a sus planes y, como la política no tiene entrañas, don Fernando el Católico, no obstante creer en lo disparatado del proyecto, no quiso desairar al inglés y llevó adelante la farsa, consintiendo se hiciese a la reina la petición formal de su mano, a lo que no asintió ella, como era de esperar. Para conocer el estado mental de doña Juana y los progresos de su enfermedad, véase la siguiente carta que desde los Arcos escribió al rey católico el obispo de Málaga, el 9 de octubre de 1508.

«Muy cathólico y así muy alto y muy poderoso señor: porque sepa vra. alteza las nuevas de acá, parésceme es bien escreuir con todos los mensageros que se ofrescen. Ya escreuí cómo despúes que vra. alteza se partió la reyna estaua pacífica así en obras como en palabras, así que a ninguna persona ha ferido nin dicho palabra de injuria. Dexe de decir como desde este tiempo no ha mudado camisa; creo que nin toca nin lauado la cara. También dicen que duerme siempre en el suelo como antes. Hanme dicho que urina muy a menudo, tanto que es cosa non vista en otra persona. Destas cosas unas son señales de corta vida, otras causa. Vra. alteza prouea en todo, ca a mi ver ella esta en grand peligro de salud, y no sería razón de dejar la governación de su persona a su disposición, pues se ve quan mal prouee lo que le cumple. Su poca limpieza en cara y diz que en lo demás es muy grande. Come estando los platos en el suelo sin ningún mantel nin bazalejas. Muchos días queda sin misa...».[3]

En noviembre de 1510, al visitarla su padre, que la halló en tan lastimoso estado que parece había perdido la soberana toda noción de limpieza, decencia y consideración que a su persona debía, hasta el punto de temerse que no podría resistir muchos días a tales extravíos. Flaquísima, desfigurada, harapienta, durmiendo poco y no comiendo nada algunos días, daba lástima a la misma compasión. Para remediarlo, puso el rey a su lado doce mujeres nobles (según Sandoval), «para que mirasen por ella y la vistiesen aunque fuese *contra la voluntad* de la reyna, que no quería sino andar sucia y rota, dormir en el suelo sin mudar camisa, lo cual se remedió de alguna manera porque las damas *la forzaban* cuando ella por su porfía y falta de juicio no quería».

A principios de 1513 vemos otra vez a don Fernando en Tordesillas, rogando a la reina que se cuidara, persuadiéndola a comer y dormir a sus horas y «quitándole otros malos vicios que había tomado con su indisposición».

Don Fernando, ansioso de tener hijos con doña Germana, tomaba continuamente pócimas y brebajes pretendidamente afrodisiacos. No consiguió nada con ello, sino acelerar su muerte, que tuvo lugar en Madrigalejo el 23 de enero de 1516.

En su testamento dejó por heredera a su hija doña Juana, pero se refería a ella en los siguientes términos:

«E cierto que ya que del impedimento de la dicha

3. Véase Luis Comenge (Bibliografía).

serenísima reyna nuestra primogénita sentimos la pena como padre que es de las más graves que en este mundo se puede ofrescer, nos parece para en el otro nuestra consciencia estaría muy agrabada e con mucho temor si no proveyésemos en ello como convinese; por ende, en la mejor vía y manera que podamos y debamos dejamos y nombramos por gobernador general de todos los dichos reynos e señoríos nuestros al dicho ilustrísimo príncipe don Carlos, nuestro muy caro nieto, para que en nombre de la dicha serenísima reyna su madre los gobierne, conserve, rija e administre...»

En otoño de 1517 llegaron a España desde los Países Bajos sus hijos Carlos y Leonor. El primero, de diecisiete años de edad, había sido proclamado en Bruselas rey de Castilla y Aragón. Fueron a visitar a su madre. Carlos, que no sabía hablar todavía en castellano, se le dirigió en francés:

—Señora, vuestros obedientes hijos se alegran de encontraros en buen estado de salud y os ruegan que les sea permitido expresaros su más sumiso acatamiento.

La reina se les quedó mirando un rato como haciendo un esfuerzo para concentrarse.

—¿Sois vosotros mis hijos?... ¡Cuánto habéis crecido en tan poco tiempo!... Puesto que debéis estar muy cansados de tan largo viaje, bueno será que os retiréis a descansar.

Y esto fue todo después de doce años de no haberlos visto.

En Tordesillas quedó con su madre la pequeña Catalina, que ya tenía diez años. Llevaba una triste vida. Aparte de la sarna, que le producía grandes comezones, no tenía otra diversión que mirar desde la ventana a la gente que pasaba yendo a la iglesia. A veces echaba unas monedas a la calle para que los niños fuesen a jugar bajo su ventana y no tenía otra compañía que dos antiguas y viejas criadas.

Se decidió sacarla de allí y pasó un día entero sin que doña Juana se diese cuenta de su ausencia, pero cuando lo hizo empezó a llorar y lamentarse en forma tan lastimera que no hubo más remedio que devolver a la infanta a su encierro. Eso sí, lo hizo acompañada de una pequeña corte de damas y doncellas, algunas de su misma edad, y se procuró que ocupase aposentos distantes de los de su madre, que se divirtiese en lo posible y saliese a montar a caballo por los alrededores de Tordesillas.

Doña Juana ignoraba que había muerto su padre y no le chocaba que no fuese a verla porque ella, en su abulia, tampoco tenía deseos de verle.

Un acontecimiento sucedió en España que pudo haber cambiado la historia del país: fue el alzamiento de los comuneros, en el que desempeñó Juana un papel, aunque pasivo, muy importante: «Los revolucionarios afirmaban, porque ello era favorable a sus intereses, que estaba prisionera con toda injusticia y además sana de juicio. Penetraron en el castillo y quisieron libertarla; ella no se movió del sitio. Le dijeron que hacía mucho tiempo que había muerto el rey don Fernando; no quiso creerlo. Pusiéronle a la firma decretos sobre la nueva organización del gobierno; la letargia no le permitió levantarse para ello ni leer siquiera uno; se negó a firmarlos. La amenazaron diciéndole que, mientras negara la firma, ni ella ni la infantita lograrían comer un bocado; Juana no se conmovió lo más mínimo. Hincáronse de rodillas delante de ella, le pusieron ante sus ojos los decretos escritos, la pluma de ave y el tintero y la importunaron con vehementes ruegos; pero ella miró por encima de sus cabezas y buscó con vacía mirada una lejanía indecisa. Por último, entraron varios sacerdotes para exorcizar a la pobre reina y librarla de la violencia del espíritu malo que moraba en ella. Pero todo fue en vano: Juana perseveraba en su indiferencia y en su resistencia pasiva. Sin saberlo salvó la soberanía de su hijo, pues su firma hubiera hecho gobierno legítimo lo que ante la ley era un conjunto de rebeldes.» Son palabras de Ludwig Pfandl.

Y así pasaron años y años. Cada vez se va acentuando la enfermedad de la reina. Tiene arrebatos de furia, golpea a las criadas y a las damas de su servicio, come sentada en el suelo y, al terminar, arroja la vajilla y los restos de comida detrás de los muebles. Se pasa dos días sin dormir y luego, durante otros dos, no se mueve de la cama. Va andrajosa y sucia, no se lava. Como una gran cosa, un mes se cambia tres veces de vestido y duerme con ellos puestos.

Durante cuarenta y seis años vive, si a eso se le puede llamar vivir, encerrada en Tordesillas. Sólo recobra la razón en la primavera de 1555, cuando Francisco de Borja, que había sido duque de Gandía, la visita y logra que se confiese; pero es sólo un instante, pues rechaza toda práctica religiosa. Una vez Francisco la abandona, vuelve a caer en su locura habitual. El confesor de doña Juana, Francisco de Borja, será, tiempo después, elevado a los altares.

Doña Juana está cada vez más enferma, sus piernas se ulceran, se infectan las heridas, tiene fiebre y vómitos. Sus dolores son tales que no grita sino aúlla día y noche. Muere en la madrugada del viernes santo 12 de abril de 1555 a los setenta y cinco años de edad, después de haber estado encerrada desde los veintinueve.

Su hijo Carlos abdica seis meses después. Los únicos seis meses en que legalmente había sido rey de España.

# Isabel de Portugal

*Lisboa, 1503 — Toledo, 1539*

10 de mayo de 1525. Carlos I ha reunido a su consejo formado por dos italianos, cuatro flamencos y dos españoles. Falta uno, Hugo de Moncada, prisionero de los franceses. La situación es grave. En Italia las tropas españolas están pendientes de un ataque francés. No había dinero para pagar a los soldados, a los que se les debía meses de soldada. Carlos I está desanimado, quisiera estar al lado de los suyos combatiendo en Italia, y en vez de ello se encuentra en España en su empeño burocrático de arreglar las cosas.

En esto se anuncia la llegada de un correo procedente de Italia. Carlos I no puede reprimir un gesto de temor, pero, antes de dar la autorización para que el correo penetre en la estancia donde se encuentra, se abren las puertas de un empujón, se ve a los guardias apartados con violencia y un hombre que casi gritando se dirige al emperador:

—¡Majestad, el 24 de febrero hubo en Pavía una gran batalla! ¡La victoria fue nuestra! ¡Se ha derrotado al ejército francés y su rey ha sido hecho prisionero!

La emoción es grande. Nadie se atreve a decir nada y las preguntas que imaginan no acaban de salir por la boca. Carlos I murmura una y otra vez:

—¡El rey prisionero! ¡Francisco I prisionero! ¡El rey prisionero!

Luego, con un gesto a sus consejeros, sale del aposento y se dirige a la capilla. Se arrodilla en un reclinatorio y da gracias al Señor, mientras murmura:

—¡El rey de Francia prisionero! ¡El rey Francisco prisionero!

Después volvió a reunirse con sus consejeros y pidió detalles de la batalla. Supo así que Francisco había pedido escribir una carta a su madre. En ella se leían unas palabras que se han hecho célebres: «De cuanto tenía no me ha quedado más que el honor y la vida, que se han salvado.» (Como se ve, en la célebre frase «todo se ha perdido menos el honor» se borra lo de la vida, que también tiene su importancia.)

En los días siguientes fueron llegando al rey noticias complementarias: los generales franceses Bonnivet, La Palisse y Francisco de Lorena habían muerto en el campo de batalla y el ejército francés había sido diezmado. Francia estaba a merced del rey español y sus consejeros le sugirieron el ataque.

Pero Carlos I no lo hacía. ¿Por qué? Por dos razones principales. La primera porque Carlos no tenía ambición de conquista. Su sentido del honor le impedía hacer la guerra a un rey prisionero al que quería como aliado para bien de la cristiandad. La segunda razón era que no tenía dinero para pagar sus tropas. El oro de América había servido hasta entonces para sobornar a los electores alemanes para que le proclamaran emperador. El oro de América había pasado por España para ir a parar a los cofres de los banqueros flamencos sin dejar casi rastro de su paso por la península.

El dinero, éste era el problema principal de Carlos. Como dice Philippe Erlanger: «A pesar del saqueo del campamento francés, a pesar de los numerosos prisioneros que tendrían que pagar rescate, los soldados creían que sus jefes estaban todavía en deuda con ellos. Se debían catorce meses de sueldo a los seis mil lansqueretes de la guarnición de Pavía, cinco meses a los veinticinco mil reclutados por el condestable de Borbón y siete meses a los soldados de infantería españoles. Los caballeros llevaban esperando dos años.»

¿Fue éste el problema que le hizo buscar para casarse a la hija del rey de Portugal, en aquel momento el más rico de los soberanos occidentales?

No es probable; en cambio, más cierto parece ser que la boda, que en las Cortes castellanas de 1525 se había instado al emperador, fue resultado de la política familiar de doña Leonor, reina de Portugal, viuda del rey Manuel I, quien de su matrimonio con María de Aragón, infanta de España, había tenido una hija llamada Isabel.

Escribe González-Doria:

«Nueve años hacía ya que el hijo de Juana I reinaba en España como asociado al trono de su madre, la reina propietaria, y cinco iban a cumplirse del momento en el que el 22 de octubre de 1520 se había coronado emperador de Alemania en Aquisgrán con el nombre de Carlos V de aquellos Estados. Y ante las Cortes de Toledo interpuso sus buenos oficios la reina viuda doña Leonor, logrando que su hermano el rey-emperador diese su doble conformidad a este proyecto: pedir para sí al rey Juan III la mano de su hermana Isabel, y otorgar él al nuevo monarca portugués la de la más pequeña de sus hermanas, la infanta doña Catalina, hija póstuma de Felipe *el Hermoso*, que no se había separado nunca de su infeliz madre, junto a quien llevaba ya varios años de reclusión en Tordesillas. Fue así cómo esta inteligentísima doña Leonor, que tan importantes servicios prestaría a su hermano en varias ocasiones, se convertía en cuñada de dos primos hermanos suyos y a la vez hijastros.»

Para entonces, como es fácil suponer, don Carlos había sido pretendido para marido de casi todas las princesas solteras o viudas que había en Europa, pero él no había demostrado interés especial por el matrimonio. La categoría de los dos hijos bastardos que habían de sobrevivirle ha contribuido a aureolar la fama galante del emperador muy por encima de la realidad. La verdad es que al momento de ir a sellar sus capitulaciones matrimoniales con su prima hermana doña Isabel de Portugal, solamente se le había conocido al novio un galanteo amoroso de alguna trascendencia: tenía veintiún años, había sido ya proclamado emperador y se hallaba en Flandes, cuando conoció a una hermosa dama llamada Margarita van Gest, hija de los nobles flamencos Juan van Gest y María Vander; fruto de aquellas relaciones del emperador con la bella Margarita nació una niña en diciembre de 1522, a quien se puso el nombre de su madre, pero que, reconocida desde el primer momento por su padre, se le conoció históricamente con el dinástico apelativo de Austria, celebró por dos veces brillantísimos enlaces matrimoniales, llegó a ser gobernadora de los Países Bajos, y trajo al mundo nada menos que al famoso caudillo Alejandro Farnesio.

Una vez que el emperador hubo otorgado el consentimiento para la celebración del doble matrimonio que propuso su hermana doña Leonor, se envió desde Toledo a Lisboa como embajador a don Juan de Zúñiga, con el encargo de ultimar los preparativos para traer a España a la novia del rey, a quien su hermano Juan III de Portugal había dado en dote nada menos que novecientas mil doblas castellanas de oro de a trescientos sesenta y cinco maravedíes cada una. Ello da idea de la riqueza que disfrutaba la dinastía lusitana de Avis. El emperador, por su parte, según las capitulaciones firmadas el 23 de octubre de 1525, fecha del desposorio, daba a doña Isabel en arras la cantidad de trescientas mil doblas, para lo cual había hipotecado las ciudades de Úbeda, Baeza y Andújar. Esto quiere decir, que si bien los príncipes portugueses eran muy ricos, la fortuna económica del rey-emperador estaba muy lejos de correr pareja a la grandeza de sus Estados.

El 2 de enero de 1526 salieron de Toledo hacia Badajoz para recibir allí a la infanta portuguesa don Fernando de Aragón, duque de Calabria, el arzobispo de Toledo, los duques de Medina-Sidonia y de Béjar, y los condes de Aguilar, de Belalcázar y de Monterrey. Doña Isabel llegó a Elvas el 6 de enero, acompañada de sus hermanos los infantes don Luis y don Fernando y del duque de Braganza. Se determinó que la infanta, desposada con el emperador, por lo que ya se le daba título de emperatriz, entraría en España el día 7, para lo cual ambos cortejos llegaron hasta la misma raya fronteriza idealizada en el cauce del río Caya. La ceremonia de entrega de doña Isabel por sus hermanos a los enviados de don Carlos se efectuó de esta forma, según relata con lujo de detalles el celebrado autor padre Flórez:

«... a unos treinta pasos antes de la raya salió la emperatriz de la litera en que venía, subiendo a una hacanea blanca, en cuya disposición se apearon los portugueses a besarle la mano, llegando cada uno por su orden y, despidiéndose de ella, la trajeron los infantes a la raya de Castilla, donde los nuestros la esperaban. Apeáronse todos; besáronle la mano y volvieron a tomar los caballos. Hízose un gran círculo de las dos comitivas, portuguesa y castellana, que formaban un lucido anfiteatro cual jamás se había visto en aquel campo que lo era ya de competencia entre las dos naciones sobre quién habría de vencer en el brillo de galas y aderezos... Ceñían los costados de la emperatriz los infantes sus hermanos; acercáronse a ella el duque de Calabria, el arzobispo de Toledo y el duque de Béjar, y teniendo los sombreros en la mano, dijo el primero:

»—Señora, oiga vuestra majestad a lo que somos venidos por mandado del emperador nuestro señor, que es el fin mismo a que viene vuestra majestad.

»Y dicho esto mandó a su secretario que leyese el poder que traía del emperador para recibirla. Leído en alta voz, dijo el duque:

»—Pues vuestra majestad ha oído esto, vea lo que manda.

»Manteníase la emperatriz con real serenidad, pero callando. El infante don Luis tomó la rienda de la hacanea, y dijo al duque de Calabria:

»—Señor, entrego a vuestra alteza a la emperatriz mi señora, en nombre del rey de Portugal, mi señor y hermano, como esposa que es de la cesárea majestad del emperador.

»Y dicho esto se apartó del lado derecho de la emperatriz donde estaba y el duque, tomando el mismo lugar y rienda, dijo:

»—Yo, señor, me doy por entregado de su majestad en nombre del emperador mi señor.

»Los infantes besaron la mano de la emperatriz, mereciendo que su majestad los abrazase, y todos se despidieron muy de prisa por el sobresalto que los conturbaba.»

Hasta casi dos meses después, no llegó la comitiva a Sevilla, donde debía celebrarse la misa de velaciones. La nueva reina llegó el 3 de marzo y tuvo que esperar al día 10 para dar lugar a que llegase el rey. El mismo día, con prisas, se celebró la ceremonia, oficiando el cardenal Salviati, legado pontificio, y actuando como padrinos el duque de Calabria y la condesa de Faro, portuguesa, que fue dama de la emperatriz en lo sucesivo.

¿Cómo era Isabel de Portugal? Sin duda alguna era bellísima, como lo demuestra el retrato de Tiziano que se conserva en el museo del Prado de Madrid. Según dicen, Tiziano no vio nunca a la emperatriz y el retrato fue hecho a través de otros, de peor factura, que pusieron a su disposición. De todos modos debió de reflejar con exactitud los rasgos de la reina, por cuanto Carlos I no sólo lo aceptó sino que lo tuvo siempre consigo instalándole, cuando quedó viudo, en la alcoba real, donde se pasaba largos ratos contemplándolo.

La feliz pareja se trasladó a Granada, ciudad que gustó tanto a Isabel que, por un momento, se pensó en instalar en ella la corte, y la idea pasó casi a la realidad por cuanto, para complacer a su esposa, Carlos I encargó construir en la Alhambra un palacio que dirigió Pedro Machuca, arquitecto formado en Italia. Esto sucedió en 1526 y las obras continuaron hasta casi cien años después, en 1621, en que «estando para cubrirse el edificio quebraron los empresarios de la renta de los azúcares, que era uno de los arbitrios consignados para la obra y el edificio quedó como hoy se encuentra».

En Granada fue donde Carlos I obsequió a su esposa con una desconocida flor que luego ha pasado casi a ser símbolo español: el clavel.

El 10 de diciembre salieron de Granada los soberanos para dirigirse a Valladolid, ciudad a la que llegaron el 24 de enero del siguiente año de 1527, instalándose la reina en el palacio de Pimentel, rodeada de sus damas, entre las que figuraba Isabel de Freyre, la musa inspiradora de Garcilaso de la Vega.

El 21 de mayo del mismo año de 1527 da a luz al que había de ser el futuro rey Felipe II.

Es conocida la anécdota según la cual cuando empezaron los dolores del parto hizo que la habitación quedara en la penumbra para que no se observasen los rictus de dolor en su cara, que pidió que fuera cubierta con un velo para más seguridad. Creía la reina que su dignidad le impedía mostrarse dolorida y gemebunda a los cortesanos. En un momento dado la comadrona le dijo que gritase para así aliviar el dolor, a lo que Isabel respondió en su lengua nativa:

—*Nao me faleis tal, minha comadre, que en morrerei mas non gritarei.*

Por cierto que el parto fue difícil y la comadre, doña Quirce de Toledo, le imploró que le permitiera solicitar el auxilio de los médicos, pero la reina fue inflexible, y sus médicos, Ruiz y Ontiveros, tuvieron que aguardar en la antecámara.

El día 5 de junio fue bautizado Felipe en la vecina iglesia de San Pablo. La tradición dice que fue sacado de palacio por la ventana que hace ángulo con la plaza, pero no hay constancia fehaciente del hecho.

El 12 de junio Isabel fue a la iglesia a la misa de parida y durante varios días hubo festejos populares en los que los nobles y el propio emperador participaron alanceando toros. Carlos I se llevó la palma, siendo aplaudido y festejado por la multitud. Pero días después, exactamente el 25 de junio, llegó a la corte la noticia del asalto y saqueo de Roma por las tropas imperiales. El emperador se indignó, mandó que se liberase al Papa, que había caído prisionero, castigar a los culpables, cosa que no sucedió, que se suspendieran las fiestas y la corte vistiera de luto.

Un año más tarde, en 1528, Isabel dio a luz un segundo hijo que fue llamado Juan. Murió al poco tiempo. En aquella época la mortalidad infantil era enorme. Y, cosa curiosa, el padre Flórez, en sus *Memorias de las reinas católicas*, menciona que, en este mismo año, la reina perdió un tercer hijo que murió a poco de nacer y que fue llamado Fernando. Y al año siguiente, 1529, el 21 de junio dio a luz esta vez a una niña a la que se le impuso el nombre de María, que más adelante casaría con el emperador Maximiliano II de Alemania. Al enviudar, volvió a España y se recluyó en el monasterio de las Descalzas Reales, que había fundado su hermana Juana, menor que ella, cuando quedó viuda del príncipe Juan Manuel de Portugal. Era el triste sino de las viudas de la época: el convento.

El emperador mientras tanto viajaba de cortes en cortes pidiendo dinero. Causa pena considerar cómo el oro que venía de América no se quedaba en nuestro país y que el gobierno estaba siempre sin blanca. Se entera del nuevo parto de su esposa mientras está en Aragón luchando con sus cortes, que le niegan reiteradamente los subsidios solicitados.

En una de estas visitas por tierras aragonesas es cuando sucede el pintoresco episodio ocurrido en Calatayud. El prognatismo exagerado del monarca le impedía cerrar del todo la boca, y un notable de la ciudad sin reparar en ello le dijo:

—Majestad, cerrad la boca que las moscas de este país son muy traviesas.

Se ignora la reacción y la respuesta de Carlos I.

Durante los viajes de su esposo, Isabel queda al frente del gobierno de España con el título de regente. Carlos había ido poco a poco enterándola de los asuntos del gobierno a la vez que estaba asesorada por los Consejos de Estado y de Guerra.

En el verano de 1529 Isabel enfermó de paludismo. Quiso hacer testamento creyendo llegada su hora, pero no fue así sino que curó, atribuyéndose la curación al agua de la fuente de San Isidro que había bebido con devoción. En este mismo verano emprende el emperador un viaje a Italia y Alemania que va a durar hasta la primavera de 1533. Continuamente escribe cariñosas cartas a su esposa, y es de notar que Carlos, que había tenido escarceos amorosos antes de casarse, de uno de los cuales, como se ha dicho, había nacido una hija, permanece fiel a su esposa sin que nadie le pudiera atribuir ninguna aventura erótica.

La guerra contra los turcos, que tan victoriosamente condujo el emperador, obligó a Isabel a reunir cortes en 1532, en Segovia. Pidió una ayuda extraordinaria para su esposo, pero no obtuvo más que 150 cuentos de maravedíes, lo que equivalía prácticamente al servicio ordinario. Los procuradores aprovecharon para pedir lo que ya era constante; es decir, que se impidiera a los extranjeros ocupar cargos públicos; que se pusiera orden en la recaudación de tributos; rápida administración de justicia y otras peticiones más curiosas, como las de que los médicos recetaran en castellano y no en latín y que no utilizaran abreviaturas, y que no se echara yeso al vino.

González Cremona, de quien es el párrafo anterior, apostilla: «Como puede apreciarse, los problemas de España no han variado mucho en cuatro siglos.»

También de González Cremona son los párrafos siguientes:

«El paludismo no abandona a Isabel, que suele pasar los veranos en Ávila; por ser más sano que el de Madrid el clima de la ciudad de las murallas. Pero los inviernos, otoños y primaveras no descansa. Va a Toledo, a Valladolid, a Sevilla, a Barcelona y, cosa inusual para la época, embarca hasta Mallorca. Sin duda, aparte tantas otras cualidades, también había heredado de sus abuelos maternos la idea de la unidad de España.» Unidad muy *sui generis*, añado yo.

Por fin, un día de comienzos de la primavera, llega el tan ansiado correo que anuncia el regreso del emperador, que ha dispuesto desembarcar en Barcelona. Con la emoción que es de imaginar, Isabel organiza la comitiva que ha de acompañarla a la Ciudad Condal, y que se integra con los príncipes, diecinueve damas de su corte y un lucido grupo de caballeros.

El 28 de abril de 1533, con todo el boato que podemos

apreciar en la iconografía de la época, arriban las galeras de Andrea Doria, y de la nave capitana desciende el emperador. El encuentro de los imperiales cónyuges es tan afectuoso que emociona a los presentes, los que comprenden muy bien la prisa que Isabel y Carlos ponen en abandonar el fastuoso recibimiento.

Lamentablemente, las pertinaces fiebres de la emperatriz vuelven a presentarse, postergando las amorosas efusiones. Restablecida, puede acompañar a Carlos V a Monzón, donde se celebraban cortes.

Y aunque sea de pasada digamos dos cosas: primera, que la real pareja usaba casi siempre los títulos de emperador y emperatriz, por serlo de Alemania, cuando ni siquiera eran reyes de España, pues continuaba siéndolo Juana *la Loca,* que ni había abdicado ni había sido depuesta; y segunda, que cuando al regreso de Italia, una comisión del Consell de Cent barcelonés fue a preguntarle con qué título se le había de recibir el emperador respondió:

—Como de costumbre, pues más tengo en consideración el título de conde de Barcelona que el de emperador de romanos.

Y es que el título de conde de Barcelona es título de soberanía y no puede ser ostentado más que por el rey, pese a hechos que indiquen lo contrario.

Los viajes del emperador hacen que, cuando el 15 de junio de 1535 la emperatriz da a luz una niña, Carlos I se halla ausente de España y lejos de su esposa. La infanta, que será llamada Juana, casará con el príncipe Juan Manuel de Portugal, enviudará al año de su boda y tendrá un hijo póstumo, el que fue rey Sebastián de Portugal y cuya muerte en la batalla de Alcazarquivir dio lugar a la anexión del reino lusitano al español bajo el cetro de Felipe II.

¿Cómo era la vida en la corte durante la ausencia del emperador? Pues bastante aburrida. He aquí cómo el obispo Guevara describe una comida de la emperatriz en carta que dirige a Carlos I:

«A lo que decís de qué come y cómo la emperatriz, seos, señor, decir que come lo que come frío y al frío, sola y callando, y que la están todos mirando. Si yo no me engaño, cinco condiciones son éstas que bastará sólo una para darme a mí muy mala comida... Sírvese al estilo de Portugal, es a saber: que están apegadas a la mesa tres damas y puestas de rodillas, la una que corta y las dos que sirven; de manera que el manjar lo traen hombres y lo sirven damas. Todas las otras damas están allí presentes en pie y arrimadas; no callando, sino parlando; no solas, sino acompañadas; así que las tres dellas dan a la emperatriz de comer y las otras dan bien a los galanes que decir. Autorizado y regocijado es el estilo portugués; aunque es verdad que algunas veces se ríen tan alto las damas, y hablan tan recio los galanes, que pierden de su gravedad y aun se importuna su majestad.»

Según el médico Villalobos, se comía poco y mal, lo que contrastaba con la abundancia de manjares que servían en la mesa del emperador, el cual, pese a la gota que le atormentaba, comía como un desesperado con una bulimia espantosa, pidiendo siempre platos nuevos y más abundantes, hasta el punto que, conociendo su afición por los relojes, un miembro de la corte o de su cocina le dijo un día:

—No sé qué más puedo servir a vuestra majestad como no sea un plato de relojes.

Era Isabel, aparte de hermosa mujer, de agradable trato, con sentido del humor, que a veces rozaba con la ironía, como cuando viendo al duque de Nájera muy acicalado y vistoso dijo a sus damas:

—Más viene el duque a que lo veamos que no a vernos.

Poco tiempo le quedaba de vida a la emperatriz. En 1539 llegó a Toledo y se alojó en el palacio de Fuensalida, donde se le reunió su esposo. Eran los últimos meses de felicidad para entrambos. Isabel estaba de nuevo embarazada, esperándose el parto para el verano, pero en abril un parto prematuro dio a luz un niño muerto. La emperatriz guardó cama y de ella ya no se levantó.

El 1 de mayo moría. Tenía treinta y seis años de edad y llevaba trece de feliz matrimonio.

Carlos I aquel día estaba en Madrid y, aunque se apresuró a salir hacia Toledo, no tuvo tiempo de ver a su esposa con vida. Se desesperó de tal forma y lloraba con tanto sentimiento que los cortesanos temieron por su vida y por su razón. Se retiró al monasterio de la Sisla, cerca de la Ciudad Imperial, y no quiso salir de allí. Se pasaba el día llorando y rezando.

Encargó de los detalles del entierro a su gran amigo y hombre de confianza Francisco de Borja, duque de Gandía y marqués de Lombay.

¿Estuvo Francisco enamorado de la emperatriz? Pudiera ser. Ella era admirada por todos y tal vez, platónicamente en todo caso, el duque estuvo bebiendo los vientos por ella. No sería extraño. Y tal vez también, teniendo en cuenta la muda adoración de Francisco hacia Isabel, Carlos I le encargó el traslado de los restos de su esposa a Granada. Sea como sea nadie puede dudar de la pureza de los sentimientos del duque de Gandía.

Nadie mejor que Fernando González-Doria para terminar esta semblanza. Sus palabras se encuentran en el libro *Las reinas de España*.

La única persona que en el palacio de Fuensalida parece hallarse serena, tal vez porque a su edad aún no ha alcanzado a comprender lo que ha de suponer para él la muerte de su madre, es el príncipe don Felipe, a quien falta solamente un mes para cumplir los doce años, y que ya ha recibido de su padre desde el monasterio de la Sisla la orden de presidir la comitiva que trasladará desde Toledo a Granada el cadáver de la emperatriz. Junto al príncipe hará las jornadas a caballo el duque de Gandía, que es quien llevará en su poder la llave con la que va a cerrarse el féretro, que deberá ser abierto al llegar a la cripta de la catedral de la ciudad que, exactamente trece años atrás, fuese testigo de la luna de miel de los emperadores.

Carlos I, desde su retiro de la Sisla, parece seguir con vidriosa mirada el avance del lúgubre cortejo por los campos de Castilla. A partir de este momento el emperador, salvo muy contadas excepciones, vestirá ya siempre de luto riguroso, un luto que guardarán también durante mucho tiempo todos sus nobles y vasallos. La despedida que Toledo ha hecho al cadáver de la emperatriz ha sido multitudinaria. El féretro es sencillo, y todavía hoy puede verse en la cripta granadina el ataúd primitivo donde quedó depositado al trasladarse los restos de doña Isabel en 1574 a El Escorial. Va, eso sí, cubierto por un repostero en el que están bordadas las armas del emperador, y es llevado a hombros de diez palafreneros, que se turnan por horas con otros diez, y a medida que avanzan, lejos de aminorar la marcha por el lógico cansancio, tienen mayor prisa por descargarse del féretro, y no precisamente porque éste resultase muy pesado.

Camina junto al duque de Gandía el príncipe de Asturias, y Francisco de Borja, que le observa frecuentemente, no le ha visto derramar ni una sola lágrima; ello es sin duda producto también de las ideas que doña Isabel ha enseñado a su hijo: «... de ella aprendió Felipe, por vías de sangre, aquel su catolicismo integérrimo: ella le inculcó, asimismo, aquella inclinación no sólo a sobreponerse a los afectos de la vida, sino también a velarlos bajo la máscara de una fría y noble reserva».

La llegada de la fúnebre comitiva a Granada es ya legendaria, e inmortalizada ha quedado en el famoso cuadro que impropiamente se titula *Conversión del duque de Gandía*. Prescribía la etiqueta de la corte que el caballerizo de la emperatriz era el encargado de cerrar el féretro al depositar en él el cadáver, y a él competía la misión de abrirlo al llegar al lugar del enterramiento, para dar fe de que el cuerpo depositado en el ataúd seguía siendo el mismo.

El príncipe don Felipe saca un pañuelo de hilo y encaje, y algunos miembros de la comitiva piensan que por fin va a llorar el heredero, pero el pañuelo tiene en este caso solamente el destino de taponarse el príncipe con él la nariz. Los clérigos que han de hacerse cargo de los restos no pueden reprimir el dar un paso de retroceso ante el macabro espectáculo que se presenta y los palafreneros se sienten por fin aliviados, aunque dos de ellos se desmayan. Ni siquiera Gandía, que tan grabado lleva en la mente el rostro de la emperatriz, puede reconocerlo ahora en aquella masa informe, deshaciéndose, desintegrándose en vermes, tumores y gusaneras. Y Francisco de Borja no certifica que sea aquél el cadáver de doña Isabel de Portugal, respondiendo a la pregunta que se le ha hecho al efecto: «Jurar que es su majestad no puedo, juro que su cadáver se puso aquí.» Si añadió aquello tan profundo de «no volveré a servir a señores que se me puedan morir...», es algo en lo que ni los biógrafos de Gandía ni los de doña Isabel coinciden. Lo más probable es que solamente pensara la frase, sin pronunciarla, dejándola grabada en su mente, y trasladándola de allí a su voluntad por un firmísimo propósito de abandonar inmediatamente los placeres que le había deparado el mundo con sus títulos, riquezas, honores y dignidades.

Francisco de Borja renunció después al mundo e ingresó en la Compañía de Jesús, de la que fue tercer general. Fue canonizado en 1671. Su fiesta se celebra el 10 de octubre.

# María de Portugal

*Coimbra, 1525 — Valladolid, 1545*

Octubre de 1543. Sobre los caminos de Extremadura una nube de polvo anuncia el paso de un ejército, pero esta vez es un ejército pacífico al mando del duque de Medina-Sidonia. Lo componen tres mil personas con cuarenta caballos y cuatrocientos mulos. Al duque le acompañan su hijo primogénito el conde de Niebla, su hermano el conde de Olivares, más parientes, muchos amigos y una serie de sacerdotes, escribanos, lacayos, palafreneros, cocineros y demás criados. Tres bufones —Cordobilla, Calabaza y Hernando— se encargan de disipar el aburrimiento de los señores y seis indios procedentes de América tocando sendos sacabuches, nombre con el que en castellano de los siglos XV y XVI se designaba al trombón de varas: es lo que llamaba más la atención de los lugareños, que salían de sus casas a contemplar el insólito espectáculo.

Por la carretera, si puede llamarse así a un mal camino de carro en algunos lugares un poco más ancho de lo habitual, se desliza la serpiente de la comitiva. Cansados de estar en sus literas los nobles montan de vez en cuando a caballo o, a pie, hablan del asunto que los ha traído a este polvoriento camino. Se trata nada menos que de la boda del príncipe de Asturias Felipe con María, hija del rey Juan de Portugal.

La idea de casar a Felipe con María se debía principalmente al príncipe, aunque, como es natural, contaba con la aprobación de su padre Carlos I. María era prima de Felipe por partida doble, y la elección se debió a condicionamientos políticos tanto como sentimentales.

Como dice Nadal, Felipe fue siempre un «lusitanista». El portugués fue la única lengua —aparte del latín— que llegó a hablar fuera de la castellana, y su manifiesta tendencia a lograr la unidad peninsular había de tener brillante coronación en la anexión de aquel reino, en 1580. Ninguna unión matrimonial, pues, desde el punto de vista político, podía satisfacerle tanto como la portuguesa. Pero, además, parece que los retratos que había visto de su joven prima y la fama de bella, amable y religiosa de que gozaba en la familia, habían inclinado su ánimo a unirse a ella en matrimonio.

Al parecer Felipe no sabía exactamente cómo era su esposa, de la que le dijeron que estaba engordando en demasía, por lo que escribió al embajador Sarmiento para que le describiese a su futura esposa. El embajador contestó: «... la señora infanta es tan alta y más que su madre, más gorda que flaca y no de manera que no le esté muy bien; cuando era más muchacha era más gorda; en palacio, donde hay damas de buenos gestos, ninguna está mejor que ella.»

Hemos de suponer que era una gordezuela de buen ver y tenía por entonces dieciocho años.

A todo esto la comitiva llegaba a Almorchón, cerca de Badajoz, donde se había fijado el encuentro de la comitiva del duque con la que llevaba al arzobispo Silíceo, que se retrasó más de lo normal. Nadie sabía a qué se debía el retraso. Por la parte portuguesa había llegado a la frontera la comitiva lusitana, que también se decidió a esperar. Pero pasó un día y otro día y el bueno del arzobispo no daba señales de vida. Los portugueses amenazaron con volver grupas y dejar sin efecto el casorio, y el duque de Medina-Sidonia se daba a todos los diablos viendo el conflicto que se le venía encima.

Por fin llegó la noticia: el arzobispo había sido arrojado de su litera por los mulos que le llevaban, yendo a parar a un río, de resultas de lo cual había cogido un resfriado imponente. Mal repuesto todavía, el 23 de octubre de 1543 se encontraba al lado del duque para recibir a la que tenía que ser la nueva princesa de Asturias.

Era ésta una linda rubia, menuda, llenita y jovial, con un empaque natural que oportunamente corregía la afabilidad de su trato. El testimonio de cronistas e historiadores es unánime al respecto. Y no podía faltar, habiendo sangre habsburguesa de por medio, el indispensable labio inferior ligeramente caído.

«Era la princesa —escribe Sandoval— muy gentil dama, mediana de cuerpo y bien proporcionada de facciones, antes gorda que delgada, muy buena gracia en el rostro y donaire en la risa. Parecía bien a la casta del emperador y mucho a la cathólica reyna doña Ysabel, su bisabuela.»

Alonso de Sanabria, que la vio personalmente, puesto que figuraba en la comitiva de Medina-Sidonia, hace un retrato todavía más completo. «Es de gentil presençia —escribe— y donayre, en el myrar grave, las fayçiones de su rostro bien ordenadas; es muy blanca, la frente grande; las cejas por naturaleça bien puestas, los ojos grandes, la boca pequeña, el labio de abaxo un poco caydo, las manos por estremo lindas, toda su persona muy abultada y tal, que paresçe que una feliçe fortuna estaba obligada a haçerla gran señora, sobre la natural disposición exterior que Dios le ha dado.»

Y el padre Flórez, para no citar ya más cronistas contemporáneos, resume su parecer en las siguientes palabras: «Era la princesa muy bonita: mediana de cuerpo; cumplida en la proporción de las facciones; algo más gruesa que delgada; el rostro lleno de gracia; el todo de donaire.»[1]

Vestía la princesa con un vestido de raso blanco con adornos de oro, el pelo cubierto por una red de oro, tenía la mano derecha con todos los dedos cubiertos de sortijas y la mano izquierda enguantada sosteniendo un abanico.

Se adelantó unos pasos el duque de Braganza y dijo, en alta voz, lo siguiente:

—Por mandato del rey don Juan y la reina Catalina, mis señores, he venido en compañía de la princesa doña María, mi señora, para que se efectúe el casamiento contratado, y la entrega a quien trujere poder del señor emperador o príncipe su hijo.

—Aquí le tenemos —respondió Medina-Sidonia.

A lo cual replicó Braganza:

—Quien tuviere el poder, muéstrelo.

Son entregados los documentos. Los letrados portugueses pasan un buen espacio de tiempo compulsando los textos, repasando los sellos, examinando las firmas y, finalmente, declaran bastante el poder. Entonces, Medina-Sidonia, encarándose con la rubita, que contempla la escena desde lo alto de su hacanea, le pregunta:

—¿Es su alteza la muy alta y muy poderosa señora la princesa doña María, mi señora, hija de los muy altos y

1. Véase Santiago Nadal (Bibliografía).

45

muy poderosos señores el rey don Juan de Portugal y la reina doña Catalina, con quien está contratado el casamiento del príncipe Felipe de Castilla, mi señor?

Un sí unánime coreó al que, sin duda un poco ahogadamente, pronunciaría la princesita. Entonces se aproximó el duque de Braganza y la preguntó a su vez:

—¿Vuestra alteza es contenta que la entregue al duque de Medina-Sidonia, que está presente, para que la lleve al muy excelente príncipe de Castilla?

—Sí —respondió doña María, con voz un poco más firme.[2]

Hecho esto la princesa descendió de su caballo y se instaló en una litera que le tenían preparada y la comitiva española se dirigió hacia Badajoz y de allí a Salamanca. El viaje duró veinte días.

El príncipe don Felipe, picado por la curiosidad de saber personalmente cómo era la mujer con quien se había casado, no esperó en Salamanca la llegada del cortejo, por lo que con un grupo de caballeros se mezcló con la multitud que le esperaba en La Abadía, pequeño pueblo de los dominios del duque de Alba.

El grupo de caballeros se destacaba por su atuendo de entre las gentes humildes del lugar, por lo que fue fácil descubrirle, y un caballero del séquito de la princesa se acercó a ella diciéndole:

—Señora, el príncipe está entre aquellos caballeros.

María, con coquetería, miró por entre las cortinas de su litera, pero no dejó que desde fuera la viesen a ella. Al príncipe aquello le aumentó el deseo de verla y encargó al duque de Alba que encontrase el sistema para hacerlo. Así se decidió engañar a la princesa diciéndole que a un trecho de allá donde estaba había un paso que sería dificultoso atravesarlo con la litera, por lo que era menester hacer parte de la jornada en mulo. Fina y lista, como mujer, la princesa se dio cuenta de lo que se pretendía y así, dice Alonso de Sanabria, que se compuso y acicaló con más cuidado que nunca, como quien sabía que había de ser vista del príncipe.

En una posada del camino se instaló don Felipe y, ¡qué casualidad!, al llegar frente a él la princesa se detuvo un momento para arreglarse el pelo y, como dice el citado Sanabria, «descalzóse el guante para arreglarse el pelo y

2. Ídem.

echó la mano de fuera, que las tiene muy buenas, la cual y el aire de ella contentó mucho al príncipe y ella no pudo tanto contenerse que no pusiese allí los ojos. El príncipe descubrió el rostro. A la princesa se le alteró la color y el empacho se convirtió en hermosura».

Por fin el 12 de noviembre la princesa hizo su entrada solemne en Salamanca. Montaba ella una mula bellamente guarnecida y, al pasar por delante de la casa donde sabía que estaba el príncipe, con deliciosa coquetería se cubrió el rostro con el abanico; pero un bufón, tomándose la libertad que le permitía su profesión, apartó el abanico, y así don Felipe pudo contemplar el rostro de su esposa.

¡Cuánto va de ayer a hoy! Estas pudibundeces y remilgos nos parecen imposibles y ridículos en nuestra época acostumbrada a actitudes más abiertas y menos gazmoñas. Todo nos parece raro incluso que en el mes de noviembre, en Salamanca, la princesa usase abanico.

La boda tuvo lugar al día siguiente. La princesa vestía un traje de raso de color carmesí, larga cola, también de rojo carmesí, bordada de oro, puños de encaje, gorra de terciopelo negro adornada con una pluma blanca y broche de brillantes.

Por su parte Felipe parecía una sinfonía en blanco: traje, gorra, jubón, calza y zapatos blancos, incluso las hebillas de estos últimos eran de plata.

La ceremonia religiosa fue breve y fue seguida de un banquete y baile.

Cuando llegó el momento de retirarse los jóvenes desposados, de dieciséis años cada uno, entraron en la cámara nupcial. Lo que pasó allí puede suponerse, pero, a las tres de la madrugada, Juan de Zúñiga, antiguo preceptor de Felipe, penetró en la habitación y obligó a los cónyuges a continuar el sueño en habitaciones separadas.

¿Por qué esta decisión? El Emperador Carlos I tenía miedo de que con don Felipe sucediese lo mismo que con el príncipe don Juan, hijo de los Reyes Católicos, cuyo matrimonio duró siete meses, según se decía por haberse entregado el príncipe a los placeres del amor con demasiada asiduidad. Como dice con gracia González Cremona, el emperador se había propuesto que no ocurriera lo mismo a su hijo, así que sólo le concedió lo que hoy podría definirse como una noche de bodas *light*.[3]

3. Véase Juan Manuel González Cremona (Bibliografía).

Durante una semana se sucedieron las fiestas en Salamanca. Torneos, danzas, corridas de toros, carreras, juegos de cañas, cabalgatas y fuegos artificiales. Pero el príncipe ve solamente una parte de los festejos, pues seguía con asiduidad los cursos que se impartían en la célebre universidad.

Terminados que fueron los regocijos populares, los príncipes emprendieron viaje hacia Valladolid, deteniéndose antes en Tordesillas para visitar a la infeliz reina doña Juana, llamada *la Loca,* que por casualidad tenía en el momento de la visita uno de sus escasos momentos de lucidez. Pidió a los jóvenes que bailaran y admiró la gracia con que lo hacían.

Viendo a su abuela, pues lo era de los dos, debieron de pensar los príncipes lo poco que separa las glorias del mundo de sus miserias. Y María debió de mirar con tristeza los desolados muros de aquel palacio que, durante tantos años, había sido residencia de su madre doña Catalina.

Ésta había dado normas muy acertadas a su hija sobre la forma de comportarse en el matrimonio. «Procura enterarte de cuánto hacía la difunta madre de tu marido, de cómo vivía, de cuáles eran sus gustos y repugnancias, sus ideas y costumbres, para poder tú conducirte de análoga manera. No consientas que en tu presencia se mantengan conversaciones libertinas en tu cámara, a menos que tu esposo esté contigo; deben acompañarte durante la noche varias damas de honor. Pon todos tus sentidos y energía en el propósito de no darle jamás una impresión de celos, porque ello significaría el final de vuestra paz y contento. Nunca trates de ganarte la confianza de tu esposo o la inclinación de tu suegro, el emperador, por mediación de tercera persona, sino única y exclusivamente por ti misma. Guarda con extrema fidelidad los secretos que tu marido tenga a bien confiarte. Si te pidiera parecer en negocios de gran monta, le dirás franca y lealmente lo que estimes por derecho. Escribe muy pocas, y, mejor, ninguna carta de tu puño y letra. Obra siempre conforme al principio de que valen más hechos que palabras.»

Por su parte, el emperador no cesaba de dar consejos a su hijo: «Por cuanto vos sois de poca edad, conviene mucho que os guardéis y no os esforcéis en los principios de manera que recibiésedes daño en vuestra persona, porque algunas veces eso pone al cabo tanta flaqueza que estorba el hacer hijos y hasta quita la vida, como acaeció al príncipe don Juan, vuestro tío, por donde vine a heredar yo estos reinos.» Incluso en diversas cartas a Zúñiga, jefe de la casa del príncipe, reiteraba el césar sus advertencias de moderación en las relaciones conyugales de su hijo, rogando se vigilase y aún se separase a los recién casados, con cualquier pretexto, durante unas cuantas semanas. A lo que el discreto y sagaz cortesano contestaba: «A mí parésceme que apartándolos algún tiempo por las noches y guardándoles siempre los días, estarían mejor que no tan alejados, pues luego tendría gran desasosiego el príncipe, que es mozo, y cada vez que llegase a su mujer lo haría con tanto deseo que sería muchas veces novio al año...»

Veinte meses duró el matrimonio. ¿Fue fiel Felipe a su esposa? Después de una estancia de Felipe en Cigales Carlos I escribe a Zúñiga: «Habéis hecho muy bien si habéis hablado de lo que pasó en Cigales en casa de Perejón y del salir de noche.» No sé quién sería el tal Perejón ni a qué se dedicaba, pero es el caso que ello coincidía con unos meses en que el príncipe trataba con sequedad a su esposa, lo que mueve al emperador a escribir también a Zúñiga: «Lo mismo he hecho y haré [escribir a su hijo], ahora en lo de la sequedad que usa con su mujer en lo exterior, aunque bien creemos que esto no procederá de desamor sino del empacho que en los de su edad suelen tener.»

Es decir, que es muy probable que el matrimonio fuera manga por hombro. De todos modos, tal como decía el embajador español en Lisboa, «la princesa era persona en extremo sana y muy concertada en venirle la camisa [la menstruación], que dicen que es lo que más va para tener hijos» y, efectivamente, a poco quedó embarazada.

Tenía la princesa apetito desmesurado, acentuado ahora por la vulgar creencia de que las embarazadas deben comer por dos. Una de las damas de la corte escribía: «Su alteza come carne cuatro veces al día; esto no debe ser por cuanto mal le hace y por lo bien que le sentaría estar más magra.»

En setiembre de 1544 se anunció que la princesa había quedado encinta y el 8 de julio de 1545 daba a luz un niño después de un parto difícil que había exigido una intervención de dos comadronas que estuvieron manipulando durante horas en el cuerpo de la princesa y, a consecuencia de ello, se declaraba una infección. Al día siguiente la enferma fue acometida por alta fiebre, que se manifestó por grandes escalofríos. El médico particular de la princesa, un enano portugués en quien ella tenía gran confianza, recetó unos lavados con agua salada y atajar la fiebre con sudoríficos y abrigo. Pero al día siguiente, otros médicos impusieron el criterio contrario, y la princesa, con el cuerpo caliente y sudoroso, fue sometida a unas sangrías fenomenales y trasladada a una cama fresca y limpia. Los galenos opinaban que los sudores provocados iban a darle un ataque de apoplejía. Consecuencia de todo esto: una pulmonía aguda. Nuevas e implacables sangrías, en el brazo y en el tobillo. En manos de sus atormentadores, la princesa entró en agonía. Dos jesuitas, los padres Faber y Araoz, la confortaron con los auxilios espirituales. Y entre cuatro y cinco de la tarde del día 12 de julio de 1545, en la ciudad de Valladolid, dejaba de existir la princesa de Asturias doña María, infanta de Portugal. Tenía dieciocho años de edad y llevaba uno y ocho meses de casada.

El secretario de Estado Francisco de los Cobos escribió a Carlos I el relato de lo sucedido en el que hay una frase muy significativa: «... el príncipe está profundamente apenado, y esto prueba que la quería aunque, juzgando por algunas apariencias, algunos creyeron lo contrario».

No sabemos exactamente a qué carta quedarnos. Los príncipes tenían dieciocho años y a esta edad es difícil saber qué es el amor. Las excepciones son raras y más raras todavía en casamientos por razón de Estado.

El hijo de la princesa María de Portugal fue el tristemente famoso príncipe don Carlos, del que se hablará más adelante.

# María Tudor

*Greenwich, 1516 — Londres, 1558*

Santiago Nadal, en su libro *Las cuatro mujeres de Felipe II*, habla de unos posibles amores de Felipe II, una vez viudo de su primera esposa María de Portugal. No se ha de olvidar que cuando quedó viudo el rey, entonces príncipe, tenía dieciocho años y no volvió a casarse por segunda vez hasta los veintisiete.

Alguna aventura debía de tener, pues personas tan bien informadas como los embajadores de Venecia le describen como sensual y naturalmente inclinado hacia el sexo femenino.

Se habla de una tal Catalina Lenez, hija de uno de sus secretarios, a la que casó con Antonio de Casores, que ejerció más tarde un cargo en Nápoles.

Algunos autores se refieren con vaguedad a Isabel Osorio, hermana del marqués de Astorga, de la que algunos autores protestantes de la época afirman que se había casado con el rey, llegando algunos a insinuar que lo había hecho cuando Felipe tenía quince años, cosa totalmente absurda. Dice a este respecto Santiago Nadal en su obra citada: «Es posible que se fijara en ella aún antes de la muerte de su esposa; parece seguro que, en todo caso, no mantuvieron una relación íntima y constante hasta después de la muerte de la princesa; fue entonces cuando circuló el rumor de su boda en secreto, referido siempre al tiempo de su viudez. Interrogado el secretario Cobos por el emperador sobre el particular, hubo de responder tranquilizándole y anunciando más detalles en un despacho secreto. "Únicamente puedo decir aquí —explicaba— que tengo confianza de que todo irá bien y que nada malo ha pasado realmente. Es una simple niñería, como ya he escrito a vuestra majestad." Se dice que de la supuesta unión resultaron varios hijos, sin que la historia haya localizado y seguido la pista a ninguno de ellos, si es que realmente existieron. Y parece que al producirse el viaje del príncipe a Inglaterra (1554), para contraer segundas nupcias, aquella larga relación se rompió, ingresando Isabel en un monasterio.»

A aquella dama se refiere, muy posiblemente, en un enrevesado pasaje de Cabrera de Córdoba, al cual, que sepamos, no ha hecho alusión ningún historiador posterior, lo que, por cierto, resulta extraño. Tratando de la oposición al segundo matrimonio del príncipe, dice así el antiguo historiador: «Los franceses, por sus consideraciones de Estado, ponían temor y aborrecimiento a los mal seguros, con que podía tiranizar, si muriese la reina sin hijos, príncipe tan poderoso como el de España, impedido para casar, con promesa a una dama castellana a quien amaba. No la prometió, y trató fiel y hábil su matrimonio, y el emperador sin escrúpulo, que por salvarse dejó después su imperio y tantos reinos y señoríos. Confírmalo el tercero matrimonio en Francia, y el último en Alemania con su sobrina la infanta Ana, viviendo la persona amada, y el rey con la seguridad de conciencia, con que prevenida, aconsejada y santamente murió.»

De tan complicado texto parece deducirse lo siguiente: el príncipe tenía relaciones, más o menos íntimas, con cierta dama castellana (probablemente Isabel Osorio), a la cual, contra lo afirmado por la propaganda francesa en Inglaterra, jamás dio promesa de matrimonio; por eso Felipe pudo casar por tres veces sin escrúpulos de conciencia, viviendo «la persona amada», la cual murió, por fin, cristianamente, resignada con su suerte. De todo ello, si no queda clara la índole de las supuestas relaciones de la dama con Felipe durante la primera viudez de éste, sí parece poder afirmarse que, a partir del matrimonio por razón de Estado con María Tudor, todo lazo amoroso quedó roto para no volver a reanudarse jamás. Es extraño que un tema tan bellamente romántico no haya tentado, hasta aquí, a ningún literato para forjar una novela o un drama de amor y sacrificio.

Sea como sea, el caso es que Felipe llega a cumplir veintiséis años y su tálamo nupcial está vacío. Tiene en sus manos el poder más grande sobre el más grande imperio conocido, pero es hombre que se debe a su condición real, prescindiendo de sus sentimientos. Si antes su boda había sido con Portugal, pues dejémonos de romanticismos que no existieron, sino de realidades que en este caso eran los intereses del imperio. Lo importante en este momento era proyectar una alianza con alguna nación. Si primero fue en Portugal, ahora será en Inglaterra y, adelantándonos en la historia, después serán Francia y Austria. El amor no contaba para nada, ni la belleza, ni la edad, sólo importaban los intereses del Estado.

Esta vez la unión será con Inglaterra y la mujer escogida será la prima de Felipe II, María Tudor, hija de Catalina de Aragón, hija a su vez de los Reyes Católicos y de Enrique VIII, rey de Inglaterra.

María Tudor cuenta en este momento treinta y ocho años, doce más que Felipe, es auténticamente fea, el color del pelo rojizo, apenas tiene cejas y sus ojos carecen de brillo. En el museo del Prado se conserva el retrato que de Inglaterra envió María, reina de Hungría y hermana de Carlos I, en el que a los defectos citados se añade una adustez en el rostro muy considerable. Teniendo en cuenta que el pintor Antonio van Moor, llamado en España Antonio Moro, sin duda dedicó parte de su habilidad en disimular la fealdad de su modelo, queda claro que la pobre María Tudor era lo que vulgarmente se llama un adefesio.

Y la pobre mujer ha de añadir a su fealdad la tragedia de una vida que no ha tenido compasión de ella.

Cuando Enrique VIII quiso deshacerse de su esposa Catalina de Aragón para casarse con Ana Bolena intentó hacerlo solicitando a Roma la anulación de su matrimonio con Catalina, partiendo de la base de que era viuda de su hermano Arturo, lo que era un signo de consanguinidad. Pero Roma no quiso aceptar esta excusa y ello provocó la separación de la Iglesia de Inglaterra de la Iglesia de Roma.

Catalina fue encerrada en el castillo de Kimbolton en 1533 y no salió de allí sino muerta tres años después. Su hija María fue considerada hija bastarda y su padre la fuerza a servir a Ana Bolena.

María es fea, pero es muy honesta, muy culta y habla, escribe y lee en francés y en italiano, aparte naturalmente del inglés, su idioma materno, domina el latín, comprende el castellano, aunque no lo habla.

En un primer momento se habló de casar a la princesa con el emperador Carlos I, pero el compromiso no llegó a hacerse efectivo, pues las conveniencias reales hicieron fracasar el proyecto. Pasaron los años y lo que se había proyectado con Carlos I se realizó con Felipe II, cuando María Tudor ya era reina de Inglaterra desde 1553.

Recordemos que Felipe es todavía príncipe, pues su padre Carlos I vive aún. El proyecto de unir las dos coronas, la inglesa y la española, a través de un enlace matrimonial, hace recordar un poco a lo sucedido en España cuando los Reyes Católicos unieron bajo su cetro los diversos reinos de España que continuaron con su independencia habitual. Lo mismo sucedería con el enlace de Felipe y María, sometiéndose Felipe a condiciones tan vejatorias como la de acceder que su trono esté situado más bajo que el de su esposa, a la que debía ceder siempre el paso y demostrar su sumisión. Claro está que esto sucedía en Inglaterra, pues es de suponer que, de haber venido María a España, se hubiesen cambiado las tornas. Pero este caso no sucedió jamás.

En 1554 se celebraron los esponsales por poderes y el 10 de mayo salía el príncipe don Felipe de Valladolid, iniciando su viaje hacia Inglaterra, a donde llegó el 19 de julio; el 23 visita de incógnito a María Tudor y no sabemos la impresión que le causó, y al día siguiente es presentado oficialmente a la corte inglesa no como príncipe, sino como rey, pues lo era de Nápoles por cesión de su padre. Al día siguiente, 25, se celebra en la catedral de Winchester la misa de velaciones que ratifica el matrimonio.

Poco duró la estancia de don Felipe en Inglaterra, pues el 29 de agosto salía hacia Flandes, donde en el mes de octubre recibió la abdicación que su padre hacía de la corona de los Países Bajos. En enero del año siguiente Felipe II es proclamado rey de España por abdicación del emperador, y el 20 de marzo de 1557 Felipe II, ya rey de España y de sus Indias, vuelve a Inglaterra.

Éstos son los hechos en su escueta cronología, pero veamos cómo se desarrollaron cada uno de ellos.

María era católica y por ello tuvo que sufrir muchos disgustos y penalidades. Cuando su padre Enrique VIII se casó con Ana Bolena, que dicho sea de paso tenía seis dedos en una mano, tuvo que sufrir la pobre María la humillación de ser llamada «lady Tudor», como otras hijas bastardas de la casa real.

Más adelante tuvo que firmar un documento en el que declaraba: «Reconozco, acepto, tomo y declaro a su majestad el rey como cabeza suprema en la tierra, después de Cristo, de la Iglesia de Inglaterra, y niego rotundamente al obispo de la pretendida autoridad de Roma poder y jurisdicción sobre este reino hasta ahora usurpado.» Lo curioso del caso es que en aquellos momentos se trataba de casar a María con su primo hermano Carlos I de España, quien le aconsejó, trámite el embajador, que para salvar su vida debería hacer todo lo que le mandasen y disimular por algún tiempo.

El matrimonio entre María y Carlos no se realizó, pero en el ánimo del emperador quedaba intacta la idea de la necesidad de aliarse con Inglaterra en beneficio de la política española. Por otro lado, Carlos veía también la necesidad de casar a Felipe para asegurar más fuertemente la sucesión en el reino español, ya que el hijo que el príncipe había tenido con María de Portugal no presentaba indicios de buena salud, cosa que por desgracia resultó exacta, ya que el príncipe Carlos fue el tristemente protagonista de actos y conspiraciones que, popularizadas más tarde por los enemigos de España, dieron lugar a uno de los capítulos más negros y falsos de la falsa leyenda negra española.

Y en la corte inglesa sucedían entonces hechos que iban a cambiar totalmente la política y la situación del país. Enrique VIII moría y le sucedía Eduardo VI, que muere a los dieciséis años de edad. Queda como único sucesor en el trono la pobre María, que de cenicienta de palacio pasa a ser reina de Inglaterra.

El panorama político europeo se transforma ante este hecho. El Papa y el emperador ven como un signo del cielo el hecho de que una católica suba al trono inglés, y por su parte Francia ve la posibilidad de aliar sus fuerzas con las inglesas para luchar contra los ejércitos de Carlos I. Éste, por su parte, vuelve a acariciar la idea de una boda entre María y un representante del trono español: en este caso sería su hijo Felipe, y no él mismo, como con anterioridad se había pensado.

Felipe tiene en este momento veintiséis años, como ya hemos dicho —es decir, doce menos que la reina María— pero la razón de Estado es superior a cualquier otro sentimiento y la boda se da por concertada. Ya se ha dicho también que en la firma de los esponsales había condiciones vejatorias para el príncipe español, citándose la diferencia de altura del sitial que debían ocupar los contrayentes, y, como cosa curiosa, añadamos que se convenía que en las comidas a la reina se le serviría con vajilla de oro y a Felipe de plata. Cominerías esas muy propias de la época, que ahora nos hacen sonreír y que entonces tenían tanta importancia que su transgresión podía provocar una guerra. Citemos como curiosidad que la noche que siguió a la firma de los esponsales, el conde de Egmont, que representaba al príncipe, a la vista de todos los cortesanos, se acostó en el lecho nupcial al lado de la reina María, eso sí, vestido de pies a cabeza y, según dicen algunos, puesta la armadura, cosa que me resisto a creer, dado lo engorroso que significaba dar un paso llevando encima los kilos de acero que constituyen una armadura, y si alguien lo duda puede sopesar una cualquiera en casa de un anticuario.

Veamos ahora cómo se desarrolló el viaje y la entrevista primera con la reina. Ya se ha dicho que el 10 de mayo salía don Felipe con su séquito de Valladolid, llegando a Santiago de Compostela el 22 de junio, lo cual demuestra la poca prisa que tenía don Felipe en consumar su matrimonio. En Santiago pasaron varios días trasladándose luego a La Coruña, de donde zarparon hacia Inglaterra el 13 de julio, llegando a Inglaterra seis días después y, como no podía ser menos, bajo una lluvia torrencial. Lluvia que no cesaba, hasta el punto de que, cansados de esperar, la comitiva, bajo la lluvia, se traslada de Southampton a Winchester, a donde llegaron Felipe, el duque de Alba y los séquitos español e inglés calados hasta los tuétanos.

Noticiosa María de que ya está su marido en la ciudad, no puede resistir la tentación de verle en seguida, y está don Felipe cambiando sus mojadas ropas por otras, cuando llega a decirle el chambelán de la reina que su majestad le está aguardando para mantener una entrevista de incógnito, habiéndose preparado la entrevista oficial para el día siguiente. A las diez de la noche llega el rey a palacio acompañado de Alba y Ruy Gómez, y son conducidos hasta una gran galería donde los aguarda la reina con su corte. Al verla don Felipe, pese a que iba armado de la mayor abnegación posible, no pudo por menos de pensar, como lo pensaron sus acompañantes, que Antonio van Moor había sido muy piadoso, idealizando bastante a la modelo. A sus treinta y nueve años María Tudor tenía el rostro surcado de arrugas, era tan flaca que el vestido parecía bailarle y esto era un defecto gravísimo en una época en que a las mujeres se les pedía que si no eran bellas procurasen al menos ser rollizas —, y al saludar con sonrisa más amplia de lo que hubiera sido aconsejable permitió ver una dentadura careada en muy lamentable estado. Sandoval dice que la reina estaba vestida a lo francés, y tenía en el pecho un diamante de increíble grandeza y hermosura que todo lo había bien menester, para suplir lo que le faltaba...[1]

Don Felipe, que era muy duro para aprender idiomas, habló en castellano con la reina, que lo comprende pero no lo habla; ella le contesta en francés, que él entiende pero no lo habla.

Al día siguiente se celebra la misa de velaciones, con lo que el rey Felipe pudo cumplir por fin con sus deberes matrimoniales que, dada la catadura de la esposa, le debieron parecer más bien una obligación que no un goce. Poco tiempo después la reina creyó estar embarazada. Desgraciadamente, a medida que aumentaba la hinchazón del vientre de la reina aumentaba también la duda de que el embarazo fuese cierto y, en efecto, al pasar los meses el tal embarazo resulta ser hidropesía.

Una de las cláusulas del contrato matrimonial era que el primogénito del matrimonio heredaría la corona de Inglaterra y la de los Países Bajos y que si don Carlos, el hijo de Felipe y María de Portugal, moría sin descendencia el primogénito de Felipe y la Tudor sería el heredero universal de los tronos de Inglaterra y de España. Es difícil imaginar lo que hubiera sucedido si dos pueblos tan dispares como el español y el británico se hubiesen unido bajo una sola corona.

Pero esto significaba la enemiga de Francia, que desde entonces se dedicó a apoyar cualquier política opuesta a los intereses angloespañoles.

Felipe, que demostró siempre ser un gran político, en Inglaterra no hizo más que acumular equivocaciones. En su afán de congraciarse con los ingleses y ante la descortesía con que los caballeros españoles son tratados por los británicos, Felipe hace decir a los primeros «que conviene al servicio de su majestad que se disimule todo esto».

Más aún, consiguió del Papa Julio III el levantamiento

1.  Véase Fernando González-Doria (Bibliografía).

de la excomunión a quienes habían abjurado del catolicismo para pasarse al protestantismo con la sugestiva cláusula de que no tenían que devolver a la Iglesia los bienes de los que se habían apoderado.

González Cremona en su libro *Soberanas de la casa de Austria* dice: «Los resultados no fueron los esperados; el protestantismo había calado hondo entre los ricos viejos y nuevos. Es natural, entre una religión que dice que el triunfo material es un signo de proximidad al Señor y otra que sostiene que al Cielo entrarán en primer lugar los pobres, más lo del ojo de la aguja, se entiende que los ricos fueran protestantes y los pobres católicos.

»En resumen, la generosidad de Felipe —y del emperador que le aconsejó al respecto— fue altamente perjudicial para el catolicismo, ya que, al permitir a los capitostes protestantes disponer de ingentes cantidades de dinero, propiedades, etc., se les dio las armas necesarias para proseguir la lucha hasta hacer de Inglaterra el país protestante que es hasta el día de hoy. Ésta es la tesis del historiador inglés Walsh, que cita Nadal, y que parece muy ajustada a la verdad. Aunque también es cierto lo que apostilla Nadal, en el sentido de que lo que resultó fatal para el catolicismo fue que María y Felipe no tuvieran descendencia, y que el trono pasara a manos de Isabel.

»Felipe II, a quien una leyenda, más estúpida que negra, hizo pasar a la historia como un hombre de dureza sin límites en lo tocante a la fe, fue excesiva y perniciosamente débil en tal materia en Inglaterra, llegando al incomprensible extremo de apoyar abiertamente, antes y después de la muerte de su esposa, a la protestante Isabel para que la sucediera en el trono, en contra de la muy católica María Estuardo. Esta Isabel era hija de Enrique VIII y Ana Bolena y fue después la reina Isabel I de Inglaterra.»

Cuando se tuvo la certeza de que el embarazo de María Tudor no era tal, sino enfermedad, Felipe aprovecha la ocasión para abandonar Inglaterra e ir hacia Flandes, donde su padre Carlos I le reclama para abdicar en él el trono de los Países Bajos, y es precisamente durante esta ausencia de Felipe cuando María emprende la persecución contra los protestantes. En las hogueras perecen un número indeterminado de ellos, que algunos autores elevan a mil y otros rebajan a doscientos. Éste es el origen del mote *Bloody Mary*, María la sangrienta, con que fue llamada por sus enemigos. Hoy *Bloody Mary* se ha popularizado como nombre de una bebida.

El 25 de octubre de 1555 Carlos V abdica en su hijo Felipe el trono de Flandes y, meses después, concretamente el 16 de enero de 1556, le cede el trono de España de las Indias y Sicilia. Cuando se retira a Yuste el avejentado emperador, que sólo contaba cincuenta y seis años pero que estaba achacoso, gotoso y falto de dentadura, pudo amargado meditar en el fracaso de sus sueños imperiales que definitivamente desaparecían con la cesión del trono de Alemania a su hermano Fernando.

Poco después se reproducía la tradicional guerra contra Francia, y Felipe corre otra vez hacia Inglaterra para conseguir la ayuda de este país. Llega a Inglaterra el 18 de marzo de 1557, consigue del Parlamento inglés que declare la guerra a Francia y, después de pasar la noche con su esposa, la última que pasarían juntos, sale otra vez hacia el continente. El 10 de agosto las tropas españolas triunfan en San Quintín y el 12 de setiembre se firma la paz. María Tudor, contenta ante las noticias, pide a su esposo que le envíe un retrato vestido con ropas militares. Felipe no tiene a mano más que uno pintado por Tiziano. No lleva yelmo, y en una carta Felipe explica a su esposa que no permite la etiqueta que se presente cubierto ante la reina.

Felipe II, a quien se le ha presentado siempre como fanático católico, intenta que el trono de Inglaterra pase a Isabel, protestante, en vez de a María Estuardo, católica, y lo hace con tanto más empeño cuando la Estuardo se casa con el delfín de Francia, más tarde Francisco II. Isabel ve con alegría que tiene a su favor no sólo a sus fieles protestantes sino también al católico rey de España.

Pero todo se está terminando. María, enferma, contrae una gripe y adivina que se acerca su final. El 5 de noviembre de 1558 el Consejo de Estado inglés le exige que nombre a Isabel como heredera del reino, y María así lo hace, poniéndole como condición que debía mantener la religión católica, cosa que Isabel promete y que luego no cumplirá.

El 17 de noviembre de 1558 María Tudor, reina de Inglaterra durante cinco años y reina de España durante tres, moría sin haber pisado nunca el suelo español.

El último acto católico celebrado en la catedral de

Westminster fue su funeral, presidido por la protestante Isabel I, ya reina de Inglaterra.

Cuando Felipe II se enteró de la muerte de su esposa, se recluyó durante unos días en un monasterio, del que salió con la idea de casarse con Isabel I.

# Isabel de Valois

*Fontainebleau, 1546 — Madrid, 1568*

Muerta María Tudor, Felipe II pensó en casarse con la reina Isabel de Inglaterra, pero varios inconvenientes imposibilitaron la realización del proyecto. Uno de ellos era la religión protestante de la reina. Felipe quería que Isabel abjurase del protestantismo, cosa que Isabel no quiso hacer, no se sabe si por convicción religiosa o porque estaba segura de que con ello se enajenaría la obediencia de sus súbditos protestantes, que eran mayoría.

Otro inconveniente era la imposibilidad de la reina de tener hijos. Los historiadores ingleses de la época la denominaron «la Reina Virgen», en lo que llevan muchísima razón, aunque omitieron la causa de tal virginidad, que es que la reina Isabel por una malformación congénita no tenía vagina.

Los proyectos matrimoniales de Felipe II tuvieron que cambiar de dirección y volvió para ello sus ojos a Francia.

Francisco I, el rey francés derrotado en Pavía, había muerto de sífilis, sucediéndole su hijo Enrique II, casado con Catalina de Médicis. La enfermedad del rey francés tiene un origen muy curioso. Se había enamorado o por lo menos encaprichado de una bella y joven dama de la corte que era conocida por todos con el nombre de *la Bella Ferronnière* por estar casada con el señor Le Ferron. Si la dama acogió con alegría las proposiciones del rey, no fue así con su marido, que no se contentó con su papel de cornudo, aunque fuese por obra del rey. Para vengarse no se le ocurrió otra cosa que frecuentar los peores prostíbulos de París hasta contraer lo que en Francia se llamaba «mal italiano», en otras partes «mal francés» y que, desde el poema de Fracastor *Syphillis sive de morbo gallico,* ha sido conocido con el nombre del protagonista: un pastor que había contraído este mal. Una vez comprobado que se hallaba infectado, Ferron se acostó con su esposa, inoculándole el mal, y ella a su vez lo transmitió a su real amante. Como se ve, la combinación es casi sainetesca y lo sería del todo si no fuese por sus desagradables consecuencias. En el museo del Louvre existe un retrato hecho por Leonardo da Vinci conocido como *La Bella Ferronnière*, aunque los expertos han averiguado que representa a una dama italiana llamada Lucrezia Crivelli.[1]

Enrique II de Francia, casado con Catalina de Médicis, había empezado su vida amorosa a los quince años de edad, cuando se convirtió en amante de Diana de Poitiers, veinte años mayor que él. Estas relaciones duraron toda la vida del rey, que murió a los cuarenta y un años. Esta casi matrimonial relación no le impidió cumplir con sus deberes conyugales, ya que la pareja real tuvo nada menos que diez hijos, y era la propia Diana de Poitiers la que incitaba a su amante a cumplir con su deber, a lo que correspondió el rey nombrándola aya de sus hijos. Como puede verse, casi un vodevil.

Cuando Enrique era el delfín de Francia el 13 de abril de 1546, nacía en el castillo de Fontainebleau su segundo hijo, una niña a la que se impuso por nombre Isabel, que a los tres años de edad fue prometida en matrimonio con el rey de Inglaterra Eduardo VI. Pero en 1553 fallecía el rey inglés y en la busca de un nuevo pretendiente surgió el nombre de don Carlos, hijo de Felipe II, enlace que se acordó en 1558, cuando Isabel tenía doce años y don Carlos trece.

Era el príncipe Carlos un muchacho enfermizo y retrasado a quien le hizo mucha ilusión su prometido enlace al contemplar el retrato que de su novia había enviado la corte francesa a la corte española.

Pero si cuando se iniciaron las negociaciones para el enlace vivía todavía la segunda esposa de Felipe II, la muerte de María Tudor hizo cambiar los planes. La alianza matrimonial con Francia era absolutamente necesaria y, comprendiéndolo así, y viendo que la boda de su hijo Carlos tardaría mucho en realizarse, Felipe II decidió sustituir a su hijo y ofrecerse él mismo como esposo de Isabel. La idea tenía una mera base política, ya que fue la política la que dirigió los cuatro matrimonios del rey Felipe. La historiografía protestante y los autores románticos

---

1.   Y que la pintura no es de Leonardo, sino de Antonio Boltraffio.

dieron una versión sentimental del hecho magnificando la figura de don Carlos y ennegreciendo la del rey. Recuérdese a este respecto el *Don Carlos* de Schiller o el *Don Carlo* de Verdi, basado en el drama del autor alemán.

El 22 de junio de 1559 se celebraba en la catedral de Nuestra Señora de París la boda de la princesa Isabel de Valois con Felipe II, representado por poderes por el duque de Alba.

El magnate había llegado de Bruselas acompañado de un brillante séquito en el que figuraba la flor de la corte de Felipe II: Ruy Gómez de Silva, el príncipe de Orange, el conde de Egmont y muchos otros. Los enviados españoles llegaron a París unos días antes al señalado para la boda. Una inmensa multitud los contemplaba curiosamente mientras atravesaban la capital, en cabalgata rumorosa, hasta llegar al Louvre. El duque se arrodilló ante el rey, que le aguardaba, el cual le hizo levantar y, cogiéndole amistosamente del brazo, penetraron ambos en el gran salón, donde esperaban Catalina e Isabel rodeadas de toda la corte. Alba se arrodilla a los pies de la princesita besándole el borde del vestido. Ella pierde el color del rostro y se pone en pie para escuchar así el mensaje que, en nombre de su novio, don Fernando lee con fuerte voz.

La ceremonia tuvo lugar, como se ha dicho, en la catedral de Nuestra Señora, el 22 de junio. La corte vistió sus mejores galas para celebrar una fiesta que hacía subir al trono más alto de Europa a la más gentil de sus princesas. Un cortejo imponente marchó desde el palacio del obispo a Nuestra Señora. Numerosos criados arrojaban monedas a la inmensa multitud que se apretujaba para ver a la novia. La catedral había sido adornada con la misma riqueza que si el propio rey de Francia fuera a contraer matrimonio. Isabel, alta y morena, realzaba su belleza con un traje de tejido de oro tan cubierto de pedrerías que apenas se distinguía la tela que lo formaba. Sobre los negrísimos cabellos de su erguida cabeza llevaba una corona cerrada en cuyo centro una espiga de oro sostenía un deslumbrador diamante que su padre le había regalado. Se apoyaba en el brazo de Enrique II. Llevaban la cola del gran manto de terciopelo azul, su hermana Claudia, duquesa de Lorena, y su cuñada María Estuardo, reina de Escocia y delfina de Francia. El acompañamiento era digno de su belleza y su gracia: dos reinas, las de Francia y

Navarra, seguidas de sus damas de honor, todas vestidas de seda color violeta con adornos de oro, y una infinidad de princesas, duquesas y otras damas de la más alta nobleza de Francia fueron con ella hasta el altar. Terminada la ceremonia, Ruy Gómez se adelantó y puso en el dedo de la que ya era reina de España una sortija adornada con un diamante fabuloso; era el primer regalo de Felipe de España a su tercera mujer.[2]

A esta ceremonia nupcial siguieron una serie de fiestas a cuál más aparatosa, la última de las cuales fue un gran torneo que se realizó en el patio del palacio Des Tournelles. Enrique II era hombre dado a los deportes, fuesen ésos la caza, las cabalgatas, la lucha, los torneos o los juegos de pelota. Como final de las fiestas se había organizado un torneo en el que participaban los más brillantes caballeros de la corte francesa, entre ellos, como es natural, no podía faltar el rey, que justó con cuantos adversarios se le pusieron por delante, venciéndolos a todos. Cuando estaba ya retirándose, se dio cuenta de que el conde de Montgomery había puesto su lanza en alto por haber sido vencedor de sus adversarios. El rey quiso también luchar contra él y en el choque se rompió la lanza del conde con tan mala fortuna que una astilla penetró por los intersticios de la visera real, incrustándose en un ojo. El rey vaciló sobre su cabalgadura y cayó al suelo. Se llamó en seguida a los médicos de corte, que no sabían qué hacer en aquel caso. Por de pronto se hizo decapitar a cuatro condenados a muerte y en sus cabezas se reprodujo la herida del rey de la mejor manera que se supo. Desgraciadamente, la ciencia de aquel tiempo no pudo hacer nada y el rey moría cuatro días después.

A las alegrías por la boda de Isabel sucedían los llantos por la muerte del rey. En poco tiempo Isabel había pasado a ser casada y huérfana. Pero a rey muerto rey puesto, y el hijo de Enrique II fue proclamado rey con el nombre de Francisco II y coronado en Reims el día 14 de setiembre de 1559. Al acto acude Isabel, que recibe los honores debidos a su condición de reina de España.

Todos estos hechos hicieron retrasar la partida de la nueva esposa de Felipe II hacia su nuevo país. No fue hasta enero del siguiente año 1560 cuando Isabel sale del

2. Véase Santiago Nadal (Bibliografía).

castillo de Blois camino de su reino. Su equipaje es tan voluminoso que su parte más importante es enviada por mar a España, pues sería difícil encontrar las necesarias acémilas, sin contar las dificultades que representaba su transporte por tierra teniendo que atravesar los Pirineos.

El viaje es duro; hasta el 30 de enero no llega a la frontera y allí la sorprende una tempestad de nieve tan grande que no recordaban otra semejante los más viejos habitantes de Roncesvalles, a cuyo monasterio llegó la comitiva a duras penas y con sus componentes transidos de frío y habiendo perdido algunos mulos portadores de equipajes de las damas del séquito de la reina. Los pobres animales habían resbalado y caído por los precipicios pirenaicos, de lo que se responsabilizó a los acemileros.

En la gran sala del monasterio tiene lugar la entrega de la reina a los representantes del rey español. Es curioso anotar los términos en que se hace la entrega por parte francesa: «Os entrego esta princesa que he recibido de la casa del mayor rey del mundo para ser entregada entre las manos del rey más ilustre de la tierra.» El cardenal de Burgos contestó con una culterana oración muy al estilo de la oratoria de la época. El discurso, difuso y prolijo, fue contestado por la reina en tono jovial y en un castellano correcto, pues no se olvide que esta lengua era como el inglés, hoy en día la más universal y usual de su tiempo.

Continúa la caminata de la comitiva hasta llegar a Guadalajara, donde se alberga en el palacio del Infantado, pues Felipe II ha escogido esta ciudad como homenaje a la familia Mendoza, titulares del ducado del Infantado.

El 28 de enero de 1560 llega la regia comitiva a Guadalajara, aposentándose en el espléndido palacio. Dos días después arriba Felipe desde Toledo, donde había reunido cortes, e, impaciente por conocer a Isabel, espía su paso desde la penumbra de un corredor.

Al día siguiente, 31 de enero, se bendijo la unión en la capilla de palacio, oficiando el cardenal Mendoza; el día pasó entre banquetes y fiestas, y, al llegar la noche, se planteó un nuevo problema. La condesa de Clermont exigió que se respetara la tradición francesa de bendecir el lecho nupcial el mismo religioso que oficiara la misa de velaciones, y, después de las consabidas discusiones, se aceptó la sugerencia-imposición. Pero el cardenal está durmiendo, y se recurre al obispo de Pamplona. Cuando éste llega ante la puerta de la estancia nupcial se la encuentra cerrada con doble llave, y tiene que limitarse a bendecir el lecho desde allí.

Contra lo que con toda seguridad los de afuera creían, en el interior de la bien guardada cámara no se estaba consumando el matrimonio. Con sus catorce años aún sin cumplir, Isabel era impúber. Sólo unos meses más tarde pudieron los cónyuges realizar la ansiada unión.

Según la leyenda negra, antes mencionada, a la boda asistió en calidad de testigo el príncipe don Carlos, afirmando que en aquel momento el príncipe se enamoró de la reina y ésta del príncipe, comenzando así los celos de uno y la pena de la otra. Pero nada es más falso. Por una parte, el príncipe no asistió a la ceremonia por estar enfermo de cuartanas y, por otro lado, la leyenda quiere hacer ver que la diferencia de edad en los nuevos esposos pesaba en el ánimo de Isabel, prefiriendo a Carlos, que contaba entonces catorce años. Todo ello es absurdo. Felipe tenía treinta y dos años, el pelo rubio, por lo que parecía más flamenco que español, aire juvenil, delgado y facciones más que correctas. Carlos era un muchacho con la cabeza grande, el cuerpo enclenque, una pequeña giba en la espalda y una pierna más corta que otra; es decir, todo lo contrario de como nos lo presentan los novelistas y no historiadores románticos.

Isabel tiene catorce años; es decir, esta edad en que las niñas se creen mujeres porque empiezan a serlo. Brantôme dice que «tenía hermoso rostro y los cabellos y ojos negros, su estatura era hermosa y más alta que la de todas sus hermanas, lo cual la hacía muy admirable en España, donde las estaturas altas son raras y por lo mismo muy apreciadas; y esta estatura la acompañaba con un porte, una majestad, un gesto, un caminar y una gracia mezcla de la española y la francesa en gravedad y en dulzura». Por su parte, el cronista Cabrera de Córdoba la describe «de cuerpo bien formado, delicado en la cintura, redondo el rostro, trigueño el cabello, negros los ojos, alegres y buenos, afable mucho».

Añádase a ello la diferencia de edad ya citada que influye sin duda en el ánimo de Isabel, pero en sentido contrario a como lo presentan ciertos autores. Una muchacha es más mujer a los catorce años que un muchacho es hombre a la misma edad. No hay duda que en el ánimo de una mujercita de catorce años influye más el trato de hombre a mujer que puede proporcionar un galán de treinta o treinta y cinco años que no la camaradería de un muchacho de su misma edad.

Los retratos que de Isabel se conservan muestran que si no era clásicamente hermosa, tenía, en cambio, el rostro *mignon* y la figura grácil y esbelta. Además tenía la elegancia y el *charme* de los Valois, todo lo cual la hacía sumamente atractiva. No cabe duda que, en España, gozaba, además del prejuicio favorable que, entre nosotros, acompaña a las francesas. Así Brantôme asegura haber oído decir que «los cortesanos no se atrevían a mirarla por miedo a enamorarse de ella y despertar celos en el rey su marido y, por consiguiente, correr peligro de la vida»; y que «los hombres de iglesia hacían lo mismo por temor a caer en tentación, pues no confiaban tener bastante fuerza y dominio sobre su carne para guardarse de ser tentada por ella». Afirmaciones que si son seguramente excesivas, resultan elocuentes respecto a la fama de que gozaba la belleza de Isabel entre los súbditos de su esposo.

A finales de 1560 Isabel tuvo la primera regla y Felipe II se decidió a consumar el matrimonio, lo cual no fue fácil porque, como el embajador francés escribía a la reina Catalina de Médicis, «la fuerte constitución del Rey causa grandes dolores a la reina, que necesita de mucho valor para evitarlo».

La corte española era muy distinta a como nos la pintan algunos historiadores, que ven como únicas diversiones los autos de fe. Al rey Felipe II le gustaba mucho bailar y al parecer lo hacía con gracia compartida por la de su esposa. Se celebraban pequeñas y grandes fiestas, entre las que figuraban las partidas de caza que tanto gustaban a la reina por ser una magnífica cazadora con ballesta.

Era también Isabel coqueta y algo malgastadora, pues sus vestidos los usaba una sola vez y, como puede verse por los retratos de la época, no eran precisamente sencillos. Se dice que hizo venir a España a un sastre de París que hizo mucho dinero al servicio de la reina y de sus damas, a las que proporcionaba además de vestidos, perfumes, lociones, polvos y lo que ahora llamaríamos complementos del vestir. Ni que decir tiene que muchos de sus clientes eran caballeros que compraban para sí o para sus damas legítimas o no.

A todo ello hasta mayo de 1564 no llegó el deseado embarazo de la reina, cosa que satisfizo al rey, pues, aparte de la natural alegría por volver a ser padre, esperaba con ansia el nacimiento de un nuevo vástago masculino, ya que le preocupaba hondamente la salud física y mental del enfermizo príncipe de Asturias, don Carlos.

Pero el embarazo provoca gran malestar a la reina. Vahídos, dolores de cabeza, vómitos. Consultados los médicos, éstos recomiendan abundantes sangrías, con lo cual no hacen más que provocar un aborto de dos mellizos de tres meses.

El rey quedó muy afectado por ello, hasta el punto de que arrepentido de su vida extramatrimonial prometió «cesar en aquellos amores pasados que mantuvo fuera de casa». La protagonista de estos escarceos extramatrimoniales era doña Eufrasia de Guzmán, con la que había iniciado lo que hoy se llamaría un romance a poco de llegar la reina Isabel a España y ver el rey que no podía consumar el matrimonio.

Todo ello sucedía en Madrid, a donde se había trasladado la corte. Los reales esposos se instalaron en el alcázar, sombrío, y que tuvo que ser acondicionado para recibir a los reyes. Era entonces Madrid una ciudad, o mejor dicho una villa, de unos doce mil habitantes. El traslado se había hecho a consecuencia de unas viruelas benignas que había sufrido la reina y que no dejaron huellas en su rostro gracias a unas cremas que desde París le había enviado Catalina de Médicis. Más adelante volvió a reproducirse la enfermedad, que tampoco afeó su rostro, tal vez debido a los potingues maternales o tal vez por estar casi ya inmunizada por la primera enfermedad. Se creyó que el clima de Madrid era más sano que el de Toledo y allá se trasladó la corte, que por fin se vio fijada definitivamente en una capital. Como, por otra parte, se habían iniciado ya las obras del real monasterio de San Lorenzo de El Escorial, Felipe II se encontraba más cerca de la obra en la que había puesto tanta ilusión.

El 12 de agosto de 1566, la reina Isabel da a luz una niña que fue bautizada con los nombres de Isabel, Clara, Eugenia en honor de su abuela la emperatriz Isabel, esposa de Carlos I, de la santa del día y de san Eugenio, de quien era muy devota la reina Isabel, hasta el punto de pedir a su hermano el rey de Francia el regalo del cuerpo del santo que fue llevado desde Saint-Denis a la catedral toledana.

Un año después da a luz la reina una nueva hija, que recibe el nombre de Catalina Micaela, con evidente disgusto del rey, que había vuelto a esperar un hijo varón, pues se iban acentuando las desavenencias con su hijo el príncipe don Carlos, cada vez más desquiciado.

En estos momentos tienen lugar unas fuertes revueltas en Flandes y el rey está dispuesto a trasladarse allí, pero no se atreve a hacerlo para no dejar la regencia en manos de su hijo. Ello produjo en don Carlos un gran disgusto, que le duraría toda la vida, pues ya se veía regente del reino. El Consejo de Estado recomendó que el rey se quedase en España, mandando a Flandes a una persona de confianza, que fue don Fernando Álvarez de Toledo y Pimentel, tercer duque de Alba. Aceptó éste el encargo y fue a presentar sus respetos al príncipe, pero éste, que creyó ver en el nombramiento del duque una ofensa a su persona, sacó un puñal queriendo matarle. El duque era corpulento y no le costó nada reducir al príncipe, y al ruido y gritos de éste entraron los guardias y otros caballeros que apoyaron al duque y tranquilizaron en seguida a don Carlos.

Y aquí hemos de hacer un paréntesis para hablar de este desdichado príncipe. Para ello nada mejor que seguir la obra de Luis Próspero Gachard *Don Carlos y Felipe II*, cuya venerable edad no impide que sea tal vez la mejor obra sobre este personaje que nos ocupa y que ha sido saqueada, sin decirlo, por la mayoría de los autores posteriores.

Ya en 1561 había sido llevado a Alcalá de Henares para curarse de las fiebres que padecía.[3]

El príncipe salió para Alcalá el 31 de octubre de 1561. Pocos días después se le unieron don Juan de Austria y Alejandro Farnesio, sus habituales compañeros de estudios y diversiones. El cambio de aire ejerció desde el primer momento una saludable influencia. Los accesos de fiebre se fueron haciendo cada vez menos violentos, hasta desaparecer por completo. El estado del enfermo mejoraba a ojos vistas, y engordó bastante. El rey, que le hizo dos

---

3. Cito por la magnífica traducción de A. Escarpizo, Ed. Shaw, 1984. Recomiendo la lectura del prólogo del traductor.

visitas durante los meses de noviembre y diciembre, se felicitaba por haberlo sacado de Madrid.

Una de las distracciones favoritas de don Carlos, durante su convalecencia, consistía en jugar con un pequeño elefante que le había regalado el rey de Portugal, y al cual había tomado tanto cariño que hacía que se lo llevasen a su cuarto. Pero se procuraba también otras diversiones, algunas bastante singulares. Un día se presentó ante él un mercader indio para mostrarle una perla que valía tres mil escudos. Don Carlos la cogió, fue quitándole con los dientes todo el oro en que iba engastada y se la tragó, con gran desesperación del pobre indio, que tardó varios días en recuperarla.[4]

Habían transcurrido cuatro semanas sin que don Carlos tuviera fiebre, cuando cometió algunas imprudencias que determinaron la repetición de los accesos. Fue a fines de diciembre de 1561. Al principio los nuevos accesos fueron muy violentos; pero declinaron poco a poco y a mediados de febrero el embajador de Francia pudo anunciar a su corte que el estado del príncipe había mejorado notablemente. Sus accesos febriles eran entonces muy ligeros y el 12 de marzo se encontró lo bastante bien como para trasladarse al Pardo en compañía de don Juan de Austria y Alejandro Farnesio, a fin de asistir a una fiesta que daba su padre en honor de la reina y la princesa doña Juana. Felipe II había engrandecido y embellecido mucho aquella residencia real desde su regreso a España y no había querido que la reina la viese hasta entonces. Después de la comida, tuvo lugar un torneo a caballo, en el cual participaron ochenta hombres de armas. Por la tarde don Carlos regresó a Alcalá.

Llevaba cincuenta días justos sin fiebre, y su restablecimiento hacía rápidos progresos cuando un funesto acontecimiento vino a destruir todas las esperanzas que su mejoría permitía concebir, e incluso a poner en grave peligro la vida del príncipe.

Don Carlos se había encaprichado de una de las hijas del portero de palacio, y a fin de poderla ver descendía al jardín por una escalera de servicio, oscura y de peldaños muy altos. La mayor parte de las personas de su séquito que conocían estas relaciones no las miraban con disgus-

4.   Ya podemos suponer cómo.

to. Creían que el amor espabilaría y estimularía la inteligencia del príncipe y le daría alguna energía física. Pero el gobernador de su casa, don García de Toledo, no debía de ser de la misma opinión cuando mandó clavar la puerta que comunicaba la escalera con el jardín. Don Carlos trató de abrirla en vano, ayudado por uno de sus gentileshombres. El domingo, 19 de abril, firmemente decidido a hablar con la muchacha, le envió recado de que se verían a las doce y media del mediodía, junto a la famosa puerta. En cuanto acabó de comer, alejó a todas las personas que lo rodeaban para que nadie supiera adónde iba, y en cuanto estuvo solo corrió a la escalera y bajó sus peldaños con precipitación. Había terminado casi de bajarla cuando le falló un pie y cayó de cabeza.

A los gritos que dio, acudieron don García de Toledo, don Luis de Quijada y otros varios servidores, los cuales lo levantaron y llevaron a su habitación. Los doctores Vega y Olivares, médicos de cámara, y el licenciado Dionisio Daza Chacón, cirujano del rey, que se encontraba en Alcalá de Henares, fueron llamados inmediatamente. Daza, después de reconocer al príncipe, informó que se había causado en la parte posterior izquierda de la cabeza una herida del tamaño de la uña del pulgar, y se la curó inmediatamente. La cura le produjo a don Carlos bastante dolor y le hizo quejarse varias veces. Quijada, creyendo que esto podía coartar al cirujano, le dijo:

—No curéis a su alteza como a un príncipe, sino como a un particular.

Al terminar la cura, don Carlos se acostó. Sudó durante hora y media y luego le hicieron tomar una medicina y le sacaron ocho onzas de sangre.

Don García de Toledo, en cuanto hubieron vendado la herida, despachó a don Diego de Acuña, gentilhombre del príncipe, para que informase al rey de lo que había pasado. Felipe II, al recibir la noticia, ordenó al doctor Juan Gutiérrez, su médico de cámara y protomédico general, que partiese inmediatamente hacia Alcalá, acompañado de los doctores Portugués y Pedro de Torres, sus cirujanos. Llegaron a su destino el día 20, al salir el sol.

Cuando aquel día por la mañana se presentó Daza para levantar la venda al príncipe, don Carlos le dijo:

—Licenciado, me gustaría que el doctor Portugués se encargase de esta tarea; no os molestéis por ello.

El licenciado le contestó que si era ésa la voluntad de su alteza, se conformaba con ella muy gustoso. Hizo la cura el doctor Portugués e inmediatamente se celebró, en presencia de don García de Toledo, una consulta de todos los médicos que se encontraban en el palacio. Todos convinieron en que se le debían sacar al príncipe otras ocho onzas de sangre.

Después de la primera sangría, don Carlos había tenido alguna fiebre. Aumentó al cuarto día, pero disminuyó luego de un modo gradual, y al séptimo, que era el 26 de abril, estaba ya libre de ella. Se quejaba a ratos de dolor de muelas, de la inflamación de unos ganglios en el lado izquierdo del cuello y de que se le dormía la pierna derecha.

Felipe II había ido también a Alcalá, pisándole los talones a su protomédico, pero como ninguno de los galenos encontraba nada alarmante, ni siquiera grave, en la herida de su hijo, se volvió para Madrid.

Los médicos españoles de aquel tiempo parecían haber permanecido ajenos a los progresos que los trabajos y las obras de Vesalio habían impreso a la medicina. Toda su actuación, desde el principio hasta el fin de la enfermedad provocada por la caída de don Carlos, denota poca experiencia y habilidad. El 29 de abril la herida del príncipe empezó a presentar un aspecto más inquietante. Durante la noche, el enfermo despertó con una fiebre ardiente, mucho dolor de cabeza, y las mismas molestias, aunque mucho más intensas que antes, en el cuello y en la pierna. Don García de Toledo se apresuró a llamar al doctor Olivares, el cual, para tranquilizar al príncipe, le dijo que aquello no era nada y que sólo se trataba de un poco de agitación. Pero don Carlos le replicó:

—La fiebre, a los once días de producirse una herida en la cabeza, es de muy mal augurio.

No se engañaba en lo más mínimo. El dolor se hizo tan violento que juzgaron oportuno no dejarle dormir hasta que se hizo de día.

El día 30, muy de mañana, don García de Toledo reunió a los médicos y cirujanos que se encontraban en el palacio para estudiar lo que convenía hacer. Todos se mostraron de acuerdo en que los síntomas que ofrecía el príncipe parecían indicar una lesión en el cráneo y acaso en el cerebro. A fin de comprobarlo, resolvieron poner al descubierto la parte del cráneo situada debajo de la herida.

Practicaron la operación inmediatamente y observaron que el cráneo estaba intacto. Únicamente el pericráneo parecía ligeramente afectado.

El príncipe don Carlos iba de mal en peor; volvió a aumentar la fiebre y el dolor de cabeza acompañados esta vez de vómitos, insomnios, flujos de vientre, inflamación del rostro, oftalmia, parálisis de la pierna derecha. La herida adoptó un aspecto lívido e infecto y el enfermo tenía los labios entreabiertos como los de un muerto y el 5 de mayo empezó a delirar.

Los médicos estaban divididos sobre el carácter de la herida y la enfermedad del príncipe, y después de largas discusiones se decidió hacerle la trepanación, la cual se llevó a cabo el 9 de mayo por la mañana.

Como remedio milagroso se pensó en llevar a la alcoba del príncipe el cuerpo momificado de fray Diego de Alcalá, muerto en olor de santidad cien años antes, y así lo hicieron.

Se pensó luego en un morisco valenciano llamado el Pinterete, curandero de fama, cuyos emplastos y ungüentos no sirvieron para nada, como era de suponer, pero poco a poco fue recuperándose el enfermo y el 14 de junio pudo levantarse por primera vez.

He insistido en esta descripción de la herida de don Carlos, ya que luego se atribuyó muchas de las rarezas del príncipe a consecuencias de la herida y de la operación.

Durante la enfermedad del príncipe, la reina, como es natural, se interesó por el estado de don Carlos enviando continuamente correos para enterarse del estado de su salud, lo cual, tal vez, dio origen a las habladurías que tomaron cuerpo en la leyenda negra.

Una vez curado don Carlos, éste continuó con su conducta rara y atrabiliaria, demostrando siempre gran antipatía hacia su progenitor. Mandó que le hicieran un libro en blanco y como por burla le puso el título de *Los grandes viajes del rey don Felipe,* y luego escribió: «... el viaje de Madrid al Pardo, del Pardo a El Escorial, de El Escorial a Aranjuez, de Aranjuez a Toledo, de Toledo a Valladolid, etc.». Todas las hojas del libro las llenó con estas inscripciones y escrituras ridículas, burlándose del rey su padre y de sus viajes, así como de las jornadas que hacía a sus casas de recreo. El rey lo supo, vio el libro y se incomodó mucho contra él.

Volvamos al inevitable Gachard. Una sola persona en

toda la corte era objeto de sus deferencias y homenajes: la reina Isabel de Valois.

Catalina de Médicis, al separarse de su hija, le había ponderado la importancia que para ella podía llegar a tener la benevolencia del príncipe de Asturias. Era natural suponer que don Carlos sobreviviría a su padre, y la suerte de Isabel y de los hijos que hubiese tenido se hallaría entonces en sus manos. Además, el proyecto que había concebido Catalina, y cuya realización intentó con tanto empeño, de casar a su otra hija Margarita con el heredero del trono español aumentaba su interés en que Isabel se congraciase lo más posible con el príncipe.

Pero la bondad y la generosidad innatas de la reina de España determinaron, en mucha mayor medida que los cálculos de la política, su conducta con don Carlos. Al llegar a España, encontró al príncipe presa del mal que lo minaba, se compadeció de su situación y se esforzó en consolarle e inspirarle resignación y valor, lo admitió en su intimidad y no descuidó nada que pudiera distraerle y procurarle honesto pasatiempo. El cuerpo enfermo y el espíritu trastornado de don Carlos reclamaban cuidados y atenciones que ella le prodigó con angélica dulzura en cuanto estuvo en su mano, y mientras vivió su hijastro no dejó de interesarse por su destino. Si de ella hubiese dependido, habría puesto término a la discordia que reinaba entre el príncipe y su padre.

Don Carlos se sintió profundamente conmovido por la acogida y atenciones de la reina. Su intratable naturaleza no se pudo resistir a tantas gracias y virtudes. A pesar de que no conocía freno a sus caprichos y de que todos cuantos le trataban temían su arrogancia, en presencia de Isabel se mostraba lleno de respeto, reverencia y sumisión. Le gustaba participar en sus juegos y buscaba el modo de tenerla siempre contenta. No descuidaba ocasión de testimoniar la simpatía que sentía hacia ella. En las cuentas de sus gastos encontramos numerosas indicaciones que vienen a confirmarlo: unas veces se trata de una sortija de rubíes, comprada para regalársela a la reina, y otras, de dos alfombras de oro y seda, otras de un cofrecillo y una pintura; y otras, en fin, de un sombrero de paja, adornado con un brochecillo de oro al cual iba sujeto, en forma de medalla una imagen de Jesús, hecha con diamantes sostenida por ángeles y rodeada de rubíes y esmeraldas. Las damas de Isabel disfrutaban también con frecuencia de sus liberalidades.

Los poetas y novelistas han transformado en ardiente pasión amorosa el respeto y la simpatía que don Carlos sentía por la reina, su madrastra. Y no contentos con esto, han querido que Isabel, princesa purísima y esposa casta y enamorada, correspondiese a la pasión de su hijastro. Pero la novela y el teatro no tienen nada en común con la historia. Hemos expuesto con la mayor imparcialidad las verdaderas relaciones que existieron entre el hijo y la mujer de Felipe II. Sólo nos resta añadir que don Carlos estaba tan poco dispuesto por la naturaleza para sentir el amor como para inspirarlo.

La reina Isabel había servido de embajadora de Felipe II cerca de su madre Catalina de Médicis y el rey de Francia Carlos IX. Se organizaron unas entrevistas en Bayona en la que la reina defendió las peticiones de su esposo presentadas por el duque de Alba.

Catalina en un momento de la negociación dijo a su hija:

—Vuestro esposo no tiene más que desconfianza hacia mí y hacia vuestro hermano. Con tales sentimientos se corre peligro de llegar a la guerra.

—Mi marido no ha tenido jamás tales ideas. Se las atribuyen vuestros consejeros.

A lo que la reina francesa replicó:

—Muy española venís.

—Lo soy —dijo Isabel—, pero no por ello he dejado de ser vuestra hija como cuando me mandasteis a España.

El rey católico quería que el rey cristianísimo tomase medidas contra los protestantes franceses, lo cual ha dado lugar a que algunos historiadores atribuyesen origen español a la célebre matanza de la noche de San Bartolomé, lo cual es completamente absurdo si se considera que las entrevistas de Bayona tuvieron lugar en 1565 y la matanza de San Bartolomé en 1572, es decir, siete años después.

Volviendo atrás en cronología histórica, el gran problema del rey era don Carlos. El príncipe era un loco y nadie lo ignoraba, y menos que nadie su padre. Recordaba éste cuando su hijo de niño se divertía torturando pájaros y otros pequeños animales. Ya adolescente llegó a matar el caballo preferido del rey y se distraía maltratando a los caballos de las caballerizas reales. Más adelante pegaba a sus servidores y en un libro de cuentas consta que se dio cien reales de indemnización a un tal Damián Martín por ser padre de una niña pegada por don Carlos. Pero el verdadero objeto de su odio era su padre el rey.

Cuando se proyectó el viaje del rey a Flandes, al que antes hemos aludido, y que debía dejar a don Carlos como regente del reino, éste se hizo ilusiones de sustituir a su padre por lo menos en los Países Bajos. El hecho que al final fuese el duque de Alba el que se trasladase a Flandes hizo concebir en don Carlos el absurdo proyecto de conspirar contra el rey. Se había hecho la ilusión no sólo de gobernar en Flandes, sino de casarse con la archiduquesa Ana, todo lo cual produjo en la mente ya desquiciada del príncipe una serie de ideas a cuál más peregrina.

Don Carlos acumulaba sobre su cabeza la tempestad que había de dar ocasión a perderle. Al enterarse de la suspensión del viaje a Flandes se desesperó hasta tal extremo que renació en su ánimo el disparatado propósito de huir de España y presentarse en los Estados. Ya con anterioridad, en 1565, don Carlos había pensado escapar, con pretexto de trasladarse a Malta, atacada a la sazón por los turcos. Por cierto que, en tal ocasión, probó el desgraciado su mentecatez, puesto que no se le ocurrió otra cosa más que confiar su proyecto a Ruy Gómez, a quien su padre había puesto a su lado como mayordomo mayor, como si el príncipe de Éboli no fuera precisamente la persona más adicta y fiel al rey que pudiera encontrarse en todos sus reinos. Ahora, después de la suspensión del viaje regio, Carlos, desesperado, no duda en realizar su propósito, y para ello comete innumerables imprudencias, que demuestran su falta de cabeza. Manda emisarios pidiendo dinero, escribe a los grandes dándoles cuenta de su intento, encarga al correo mayor, Raimundo de Tasis —encargado de las comunicaciones de la casa real—, que prepare caballos, etc. Por cierto que esta tenaz afición a la huida para pasar a Flandes y, no se olvide, casarse con la primita Ana, revela cualquier cosa menos una confirmación de los supuestos amores con su madrastra. ¿Quién es el hombre que huye de la mujer amada que le corresponde? Y aun dando por supuesto que dicho amor fuera unilateral por parte del desgraciado, es evidente que la ambición era mayor en él que aquel sentimiento. Y, desde luego, su frenesí por casarse con Ana se compagina poco con la idea de una avasalladora pasión, como le han supuesto los románticos.

La locura va acentuándose y don Carlos va acumulando imprudencia sobre imprudencia, llegando incluso a dirigirse a don Juan de Austria, solicitándole su ayuda para que le facilite el paso a Italia, a cambio de lo cual le hará rey de Nápoles y de Milán. Don Juan, fiel siempre a su hermano Felipe, da tiempo al tiempo y pide unos días para reflexionar la propuesta, y en cuanto sale de las habitaciones de don Carlos monta a caballo y se dirige corriendo a El Escorial para contárselo todo al rey.

Es duro tener que actuar contra el propio hijo y Felipe II, siempre prudente, se toma unos días de reflexión y rezo.

El 17 de enero de 1568 regresa a Madrid y al día siguiente, como es domingo, oye la misa junto a su hijo sin que nada trasluzca de lo que está pensando.

Don Carlos hace llamar a don Juan de Austria y le pregunta cuál ha sido su resolución; por su respuesta comprende que no acepta su proposición y que tal vez ha informado al rey, por lo que desenvaina la espada y se lanza sobre él, teniendo don Juan el tiempo justo para desenvainar la suya y parar el ataque. A los gritos de don Juan acude la servidumbre, que reduce a don Carlos, el cual se encierra en sus habitaciones.

A las once de la noche el rey manda llamar al príncipe de Éboli, al duque de Feria, a don Antonio de Toledo y a don Luis Quijada y les comunica que ha determinado tener a su hijo y heredero en condiciones tales que no pueda poner en peligro los intereses del reino. Los cuatro caballeros, impresionados por esas palabras, advierten que el rey lleva cota de mallas bajo su traje y se coloca el casco, empuña la espada y los invita a seguirle.

Llegan a la habitación de don Carlos y Ruy Gómez abre la puerta de la habitación, en la que penetra primero el rey y los demás caballeros, que en rápido movimiento se apoderan de las armas que el príncipe tenía al lado de la cama. Don Carlos quiere resistirse, pero deja de hacerlo cuando distingue al rey, al que pregunta:

—¿Quiere vuestra majestad matarme o encarcelarme?

El rey responde que desde aquel momento le tratará como rehén y no como padre, y a continuación ordena que se tapien las ventanas, se incauten de todos los papeles y armas de su hijo y que se ponga guardia a la puerta de la habitación del príncipe.

Entre los papeles figuran dos listas, una de sus amigos y otra de sus enemigos. La lista de los amigos comprendía en primer término a la reina Isabel y a continuación don Juan de Austria, Luis Quijada y pocos más. Mucho más larga era la lista de los enemigos, que iba encabezada con el nombre del rey su padre.

La noticia de la detención causó sensación no sólo en España sino en toda Europa. La reina Isabel lloró durante dos días hasta que el rey le mandó que dejase de hacerlo, pues a él también le dolía lo sucedido y procuraba aguantarse.

Felipe II encarga a un tribunal presidido por el cardenal Espinosa que estudie el caso y proceda a la inhabilitación de don Carlos, el cual, en plena exaltación, se declara en huelga de hambre, a lo que sigue días de glotonería sin medida. Bebe cantidades ingentes de agua helada con la que también rociaba su cama, acostándose después en ella, lo cual sin duda ayudó a su muerte, que tuvo lugar el 24 de junio de 1568. Poco antes de su muerte recobró su lucidez, pidió perdón a todos y solicitó la presencia del confesor. Murmura: «*Deus propitius esto mihi peccatori.*» Sus últimas palabras fueron para pedir que se le enterrase con el hábito franciscano. Cuando murió tenía veintitrés años recién cumplidos.

La corte se vistió de luto y todos los cortesanos estaban acordes de que el negro sentaba muy bien a la belleza de la reina Isabel, que, desde el nacimiento de la infanta doña Catalina, se encuentra delicada de salud.

En el mes de mayo de 1568 sintió los síntomas de embarazo, pero esta vez acompañados de debilidad general, desmayos, ahogos, fuertes dolores de cabeza, que fueron combatidos con purgas, sangrías, ventosas, más sangrías y más purgas. Naturalmente, la reina cada vez se encuentra peor y la muerte de don Carlos le afectó definitivamente hasta tal punto que comprende que ha llegado su hora y acepta con serenidad y resignación el fatal desenlace.

Ruega a su esposo que se mantenga en buenas relaciones con la corte francesa y añade:

—Tengo grandísima confianza en los méritos de la pasión de Cristo y me voy a donde pueda rogarle por la larga vida, estado y contentamiento de vuestra majestad.

El rey esta vez no puede contener las lágrimas: contrastaba su desesperación con la serenidad de la moribunda.

El 3 de octubre a las diez y media de la mañana dio a luz una niña, como de cinco meses, la cual, si bien murió en seguida, nació viva y pudo ser bautizada.

Poco después murió plácidamente.

Fue enterrada en el monasterio de las Descalzas Reales de Madrid, hasta ser llevada a su definitivo destino en El Escorial, donde está enterrada en el panteón de Infantes, puesto que, si bien fue reina, no fue madre de ningún rey, tradición que se ha venido manteniendo hasta nuestros días, en que se ha producido una sola excepción.

La tumba de Isabel de Valois, reina de España y esposa de Felipe II, se encuentra frente a la de don Carlos.

# Ana de Austria

*Cigales, 1549 — Badajoz, 1580*

El destino a veces tiene cosas bien extrañas. Isabel de Valois había estado prometida con el príncipe Carlos antes de casarse con Felipe II. Al príncipe Carlos también estaba destinada Ana de Austria, la que fue cuarta y última esposa del rey Felipe.

El mismo día del fallecimiento de Isabel de Valois, el nuncio de su santidad en Madrid escribía a Roma diciendo que la corte española daba por seguro que el rey volvería a casarse, lo cual no es de extrañar por cuanto el ansia del rey era tener el deseado hijo que pudiese heredar sus Estados.

En principio se vaciló entre Ana de Austria, hija de Maximiliano II y sobrina del rey español, y Margarita de Valois, hermana de la fallecida reina Isabel, y por tanto cuñada del rey.

A ello aludía el nuncio de su santidad cuando decía que el Vaticano sabría antes que nadie la decisión del rey por cuanto, en ambos casos, era necesario pedir a Roma la oportuna dispensa de consanguinidad.

Las razones que decidieron a Felipe II a inclinarse por Ana y no por Margarita fueron probablemente políticas. Por un lado, Francia tenía conflictos entre católicos y protestantes, lo cual hacía improbable cualquier actividad del país vecino en Flandes o en Italia; en cambio, Maximiliano de Austria podía proporcionar la protección necesaria a los intereses españoles en los Países Bajos y en Italia.

No hay duda de que fueron razones políticas y no sentimentales las que llevaron al rey a su cuarto enlace, si las primeras se han enunciado digamos para aseverar las segundas que el rey Felipe vistió de luto a la muerte de Isabel de Valois y no se lo volvió a quitar en su vida.

Felipe tenía cuarenta y un años, Ana de Austria veinte. Había nacido en España, concretamente en Cigales, pue-

blo próximo a Valladolid, hablaba perfectamente el castellano y era una joven rubia de mediana estatura nada
extraordinaria de cara, pero de buen ver. El nuncio decía
en una de sus cartas a Roma que era modesta, humilde y
devota.

El 4 de mayo de 1570 casaba Ana por poderes con su
real novio. La boda se celebró en Praga, en el castillo que
domina la ciudad. Representó al novio el archiduque Carlos, hermano del emperador. La novia vestía un traje de
raso carmesí bordado en oro, plata y pedrerías, con las
mangas de tela de plata adornadas en oro y, después de la
ceremonia, se aceleró una recepción en la que Ana estuvo
sentada en el estrado a la misma altura que sus padres,
pues ya era reina como ellos.

Sólo a finales de junio, casi dos meses después de la
boda, empezó el viaje de la nueva reina hacia España.
Pasando por Nuremberg la comitiva, después de tres semanas empleadas en recorrer unos seiscientos kilómetros,
llegó a Spira, de donde salió el 1 de agosto con dirección a
su reino.

A las nueve de la mañana del día fijado, después de
oída misa, Ana se despidió de la emperatriz, de la archiduquesa Isabel y de todo el mundo «con el sentimiento que se
deja considerar» y, montando a caballo, se dirigió al embarcadero. A su lado cabalgaban su padre, el emperador
Maximiliano II, y sus tres hermanos, los archiduques
Matías, Alberto y Wenceslao. En la comitiva, espléndida y
rumorosa, figuraban también el arzobispo de Munster y el
gran maestre de la orden teutónica, encargados de hacer la
entrega de la nueva reina de España al duque de Alba en el
límite de los dominios españoles de Flandes.

Mientras la joven reina de España subía a caballo, su
madre, llorosa y emocionada, estuvo en una ventana de la
residencia imperial y no se retiró hasta que el cortejo hubo
desaparecido de su vista. Llegados al embarcadero, todos
se despidieron, subiendo a la barca sólo los más allegados,
para asistir a la comida. Después de ésta, el archiduque
Matías se despidió también y la flotilla levó anclas, partiendo Rin abajo. A la mañana siguiente el emperador se
despidió de sus hijos. Se encerró con Ana en la cámara que
ésta ocupaba en el barco y estuvo un buen rato a solas con
ella, «con tanta ternura, que se le pareció bien en el rostro
cuando salió a meterse en una barca con que pasó de la

otra parte del agua donde tenía sus coches y se volvió a Spira».[1]

El viaje continuó hasta que el 25 de setiembre se embarcó la reina con su séquito en el puerto de Bergen-op-Zoom, llegando a Santander ocho días después, el 3 de octubre de 1570, exactamente dos años después del fallecimiento de Isabel de Valois.

De Santander a Burgos tardaron siete días, a pesar de que el tiempo, que era espléndido, favorecía la comitiva. El día 11 de noviembre llegaban a Valverde, cerca de Segovia, a donde llegó el día siguiente en medio del entusiasmo del pueblo, entre el que se mezcló el rey ansioso de ver a su cuarta esposa.

El día 14 tuvo lugar en el alcázar segoviano la misa de velaciones, siendo de notar que el archiduque Wenceslao de Austria, hermano de la reina, que la había acompañado durante todo el viaje y que actuaba como padrino, vistió de negro como homenaje a Felipe II. Doña Ana se dio cuenta en seguida de que su cometido no era el de hacer olvidar al rey a su anterior esposa, sino el de provocar en su real consorte un nuevo amor, lo que dice mucho del tacto e inteligencia de la nueva reina.

De Segovia pasaron los reyes al palacio de Valsain, y el 26 de este mismo mes de noviembre hacen los reyes su entrada en Madrid.

Allí esperaban a la reina las infantas Isabel Clara Eugenia, de cuatro años, y su hermana Catalina Micaela, de tres, a las que se les había dicho que su madre iba a volver del cielo. En cuanto vio Isabel Clara Eugenia a doña Ana se echó a llorar diciendo:

—Ésta no es mi madre, ésta tiene el pelo rubio.

Con habilidad, Ana de Austria se inclina hacia las pequeñas y les dice que efectivamente no es su madre, pero que iba a quererlas tanto como si lo fuese. Y, en efecto, fue así, pues puso en las infantas un cariño maternal al que correspondieron ellas con afecto verdaderamente filial.

¿Se enamoró Ana de su esposo? ¿Se enamoró Felipe de su esposa? No lo sabemos; lo que sí es cierto es que la vida en la corte se parecía mucho a la de los matrimonios de conveniencia de la burguesía del siglo XIX. Incluso si es

1.  Véase Santiago Nadal (Bibliografía).

verdad que Felipe II tuvo relaciones íntimas con la princesa de Éboli, viuda de su íntimo amigo Ruy Gómez de Silva, esto añadiría más similitud con la burguesía decimonónica y daría al ambiente conyugal de los reyes un aire muy a lo Balzac o a lo Pérez Galdós.

Los gustos de la real pareja eran muy sencillos. La reina no gustaba de las fiestas brillantes de la corte y del ceremonial que acompañaba los actos de los reales consortes. Como buena alemana, sentía afición a la naturaleza, los montes, los árboles y se encontraba a su gusto en El Escorial, donde practicaba la caza, tanto con ballesta como con arcabuz. Mientras el rey trabajaba en su despacho, ella cosía o secaba la tinta de los documentos que escribía echándole la arenilla o salvilla. Todo ello en silencio. No podemos imaginar una escena más burguesa. Aunque parece mentira, éste era el ideal de vida de Felipe II, quien dijo muchas veces:

—A no ser rey no apeteciera el ser duque, ni conde, ni marqués, sino ser un caballero de hasta seis u ocho mil ducados de renta desobligado de las cargas y obligaciones de los titulados grandes señores.

El rey visitaba a su esposa por lo menos tres veces al día. Por la mañana, antes de oír misa, más tarde para tomar juntos un refrigerio y por la noche. Eran casi los únicos momentos en que solían estar solos sin los infantes.

El embajador veneciano Badoero describe la alcoba real y explica que en ella había dos camas bajas separadas dos palmos una de otra y cubiertas con una cortina de tal manera que parecían una sola.

El tálamo nupcial era el lugar más importante para el rey Felipe. Empieza a sentir los dolores de la gota, ya no puede bailar como lo hacía con su anterior esposa; por otro lado, Ana, de costumbres más sencillas, había cambiado el ambiente de tal forma que el embajador francés afirma que parecía un convento de monjas.

De todos modos, no le faltaban energías al rey, por cuanto el 4 de diciembre de 1571 nacía un niño al que se le puso el nombre de Fernando, debido a la admiración que el rey sentía hacia la figura de su bisabuelo Fernando *el Católico*.

El 12 de agosto de 1573 nace un segundo hijo, al que se le impone el nombre de Carlos Lorenzo, y el 12 de julio de 1575 nace el tercer hijo, que es bautizado con el nombre de

Diego y que viene a sustituir a Carlos Lorenzo, fallecido días antes.

No para aquí la descendencia del rey. El 14 de abril de 1578 nace un cuarto hijo, al que se le pone por nombre Felipe, y que será el futuro rey Felipe III.

El infante Fernando, príncipe de Asturias, fallece ese mismo año, cuando cumplía siete de edad.

La corte se ha visto precisada a guardar luto en varias ocasiones, con lo que ya puede uno figurarse lo que debieron ser aquellas temporadas de duelo oficial en un ambiente que de suyo había dejado de ser risueño desde 1568. Fue la primera en desaparecer, después de casados los reyes, aquella hermana que tan unida estaba a Felipe II, la princesa viuda de Portugal, doña Juana, el 8 de diciembre de 1573, con lo que se ahorró la pena de conocer la misteriosa desaparición de su hijo don Sebastián. Falleció en 1574 el rey Carlos IX de Francia, cuñado del rey Felipe, como hermano de Isabel de Valois, y cuñado también de la reina Ana, como esposo de su hermana la archiduquesa Isabel de Austria. Hemos dicho que en julio de 1575 perdieron los reyes a su segundo hijo, el infante Carlos Lorenzo, y ese mismo año fallecía también la reina viuda de Portugal, doña Catalina de Austria, hermana pequeña del emperador Carlos V, última superviviente de los hijos que tuvieron doña Juana *la Loca* y don Felipe *el Hermoso*. En 1576 le tocó el turno al emperador Maximiliano II, padre de la reina de España, y, unos días antes de que falleciese el primogénito de este cuarto matrimonio del rey, se apagaba en Bouges, cerca de Namur, en Flandes, la vida de don Juan de Austria, cuando sólo contaba treinta y tres años de edad, el 1 de octubre de 1578.[2]

Se está terminando de construir el monasterio de San Lorenzo de El Escorial. Por orden expresa de Felipe II se trasladan a él los cadáveres de su padre y de su madre y sus esposas fallecidas. Cada cadáver va acompañado de un duque y un obispo.

Felipe II ha sido siempre más negociador que guerrero, pero esta vez se ve obligado a combatir defendiendo sus derechos a la corona de Portugal, cuya sucesión le corresponde por línea materna, puesto que los sucesores por línea paterna eran bastardos. Catalina, esposa del duque

---

2.   Véase Fernando González-Doria (Bibliografía).

de Braganza, era hija única e ilegítima de don Eduardo, hermano del rey, cardenal de Portugal. Antonio, prior de Crato, era también hijo único e ilegítimo de don Luis, otro hermano del rey.

El duque de Alba es llamado de sus tierras para dirigir la lucha contra las tropas del prior de Crato. El duque estaba enfermo y algo enemistado con el rey, pero éste pensó que era el mejor guerrero que podía encontrar y a aquél la posibilidad de luchar le curó de sus achaques, aunque fuese momentáneamente.

El pueblo portugués vacilaba entre ser súbditos del rey de España o del prior, cuyas ambiciones desagradaban a la mayoría de los portugueses. Fuera lo que fuere, la guerra se redujo a un paseo militar. Pero cuando todo parecía tranquilo, el rey Felipe contraía la gripe, que por aquel entonces diezmaba poblaciones enteras.

Los días pasan y el estado de salud de Felipe empeora, y en esto narra el padre Flórez: «... poniéndose la reina en fervorosa oración, ofreció a Dios su vida porque no quitase al reino y a la Iglesia la de su marido tan sumamente necesaria a todos, y oyó Dios su oración, pues, mejorando el rey, cayó mala la reina y el que en aquél fue sólo amago de la Parca en ésta fue irresistible golpe».

Felipe, durante su enfermedad, hizo testamento, en el cual disponía un consejo de regencia, pero no dejaba a la reina como gobernadora del reino, según era costumbre. Don Antonio de Padilla, que acompañaba al rey en su calidad de letrado, descubrió este pormenor a la reina, la cual se quejó amargamente a Felipe, atribuyendo la disposición a poco amor y estimación. El rey dio explicaciones que no se sabe si contentaron o no a doña Ana. Por lo que respecta al delator, el rey le llamó a su presencia, y una sola mirada y unas pocas palabras de represión bastaron para castigar al delator, que murió de pena a los pocos días.

La enfermedad de la reina se agravó y los médicos no supieron encontrar el remedio. La gripe acabó con la vida de doña Ana, que murió el 26 de octubre de 1580, cuando le faltaban seis días para cumplir treinta y un años. El rey Felipe quedaba viudo por cuarta vez a los cincuenta y tres años de edad, sobreviviendo dieciocho más a su última esposa.

El cuerpo de la reina fue enterrado en El Escorial.

Pero el miedo de quedar sin descendencia masculina en aquellos tiempos de tanta mortalidad infantil hizo pensar a Felipe II en un quinto matrimonio.

En el momento del fallecimiento de la reina vivían cinco hijos del rey: las infantas Isabel Clara Eugenia y Catalina, hijas de Isabel de Valois; el príncipe de Asturias don Diego, y los infantes Felipe y María, hijos de la reina Ana.

En 1582 fallecía su hijo Diego, y ello incitó a Felipe II a programar su quinto enlace, esta vez con la hermana de Ana de Austria, Margarita, que, al morir la reina de España, tiene trece años; es decir, cuarenta menos que el rey.

Pero este enlace no se celebrará nunca: Margarita ingresó en el convento de las Descalzas Reales, donde pasó el resto de su vida después de haber profesado sus votos definitivos en 1584 ante Felipe II y toda su corte.

El rey vio cómo la mujer que había escogido se unía a un esposo más poderoso que él.

# Margarita de Austria

*Gratz, 1584 — El Escorial, 1611*

Es conocida la frase de Felipe II refiriéndose a su hijo, el que después será Felipe III:

—El cielo, que tantos dominios me ha dado, me ha negado un hijo capaz de gobernarlos; temo que me lo gobernarán.

Y así fue, pero la culpa de ello la tuvo en parte el propio *Rey Prudente*. Tenía éste demasiada personalidad como para no influir en el hijo que durante la vida de su padre no se atrevía a levantar cabeza. Prueba de ello es la singular conversación que tuvo lugar entre padre e hijo cuando se trató de buscar esposa para éste.

La esposa del príncipe Felipe había de ser, cómo no, de sangre real. Todas las casas reales de la Europa occidental estaban unidas entre sí por lazos de parentesco. Los médicos de aquella época no conocían todavía los graves inconvenientes de la consanguinidad a la hora de procrear.

El archiduque Carlos, hijo del emperador Fernando I y primo hermano de Felipe II, había fallecido siendo marqués de Stiria, dejando quince hijos a su viuda, entre ellos cuatro hijas llamadas Catalina, Gregoria, Leonor y Margarita, posibles candidatas a la mano del príncipe de Asturias.

De las cuatro, Leonor queda descartada por su mala salud, lo que no impedirá que sobreviva a sus hermanas.

Cuando se tienen noticias de que Felipe II está interesado en una de las princesas para esposa de su hijo, apresuradamente se llama a un pintor para que haga el retrato de las tres por separado y se envíen los cuadros a Madrid. Para poder identificar a las princesas, a modo de joya, se coloca en el cabello de cada una de ellas la inicial de su nombre: una «C» para Catalina, una «G» para Gregoria y una «M» para Margarita.

Cuando llegan los cuadros a la corte española, el rey indica a su hijo que escoja la que le parezca mejor y más atractiva, y entonces tiene lugar el curioso diálogo al que he aludido antes.

—Hijo mío, contemplad a vuestras primas y escoged a la que más os agrade. ¡Que el Señor guíe vuestro impulso!

—De ningún modo he de consentirlo, padre. Dejo el asunto en manos de vuestra majestad.

—Hijo, yo lo estimo, y con todo estimaré más lo que decidáis vos, puesto que ha de ser la compañera de vuestros cuidados y con quien os desahoguéis de ellos. Y como no quiero que os cueste el sonrojo de explicarme ahora la que elegís, llevaos los cuadros a vuestro cuarto, los reconocéis despacio, y el que más os agrade me lo remitís por medio de un gentilhombre, y en sabiendo vuestro gusto os lo restituiré.

—Yo, padre, no tengo más elección que el gusto de vuestra majestad, quien se ha de servir de elegir, estando cierto que la que vos escogiereis, ésa me parecerá la más hermosa, y sin esta circunstancia no me parecerá la más perfecta.

No se puede imaginar conversación más absurda y que demuestre más a las claras la poca voluntad y personalidad del príncipe heredero. Como dice muy bien González Cremona, el futuro Felipe III no estaba capacitado para gobernar. Y no por falta de capacidades propias, sino por la educación a que fue sometido por su padre. Educación castradora la llamarían hoy los psiquiatras.

Y sigue diciendo dicho autor: siendo el príncipe heredero un joven normal y hasta de inteligencia despierta, con cualidades morales y deseos de servir a su patria, que nadie ha puesto nunca en duda, hay que concluir que su falta de carácter se debió a la presencia constante, abrumadora, de su padre durante toda su infancia y buena parte de su adolescencia. El temor —terror— de Felipe II a que también muriera este hijo varón, como habían muerto sus tres hermanos, dejando así sin sucesión viril a la corona, más su obsesión por capacitarlo para gobernar cuando él faltara, dieron por resultado un ser débil, que todo tenía que consultarlo con su padre, y que, cuando éste ya no estuvo a su lado, necesitó encontrar un «sustituto paterno» que le siguiera guiando de la mano. O, mejor aún, que le relevara de la, para él, excesivamente pesada tarea de gobernar. Siguiendo con la terminología psiquiátrica, un sustituto paterno que le evitara tener que ser adulto, lo que significa tomar resoluciones, aceptar responsabilidades.

Pero volvamos a la conversación antes descrita y que llevaba trazas de no terminar jamás. La infanta Isabel Clara Eugenia tuvo una idea que fue la de colocar los cuadros de cara a la pared y echar a suertes la elección. Así se hizo y quedó vencedora la princesa cuya inicial era «M», es decir, Margarita. Pero a Felipe II no le pareció serio el procedimiento y no quiso aceptar lo dictaminado por la suerte, y así determinó que fuese la mayor de las tres princesas la elegida para el casorio. Y la verdad es que no veo que este procedimiento sea más serio que el otro.

Así pues, se pidió a la corte de Gratz la mano de la princesa Catalina. El correo que llevaba la petición se cruzó con otro que iba a Madrid a comunicar la muerte de Catalina, debida a un catarro.

Vuelta a hacer una nueva petición de mano, esta vez concerniente a Gregoria, pero la suerte quiso que ésta muriese de unas fiebres. Quedaba, pues, únicamente Margarita, lo cual quiere decir que la suerte a veces sabe lo que se hace.

Todo este tejemaneje había durado dos años, y cuando definitivamente se acordó el casamiento de Margarita con el príncipe Felipe la pobre muchacha, que tiene catorce años de edad, recibe la noticia llorando, pues no quiere apartarse de su familia; pero la razón de Estado se impone.

Se concertó que al mismo tiempo de la boda de la princesa Margarita se celebraría la de Isabel Clara Eugenia con el archiduque Alberto de Austria, hijo de Maximiliano II y hermano de la cuarta esposa del rey Felipe II; es decir, que era su cuñado que se convertía en yerno. Se ha de convenir que los líos familiares son tremendos. Adelantando acontecimientos, podemos decir que Carlos II, el nieto de Felipe III, era hijo de tío y sobrina, nieto de parientes próximos, biznieto de tío y sobrina y tataranieto de primos hermanos. No es, pues, de extrañar la degeneración de la raza.

El Papa Clemente VIII, que tuvo que otorgar dispensa para ambos matrimonios, se ofreció a casar a las dos parejas, honor que fue aceptado por ambas partes. Para ello el cortejo de Margarita y Alberto atravesó Italia, mientras que el rey español envió a varios nobles presididos por el conde de Alba de Liste para que le representase en la boda.

Mientras el cortejo de Margarita y Alberto estaba en Italia, llegó la noticia de que el 13 de setiembre de este mismo año de 1598 había fallecido en El Escorial el rey don Felipe II, por lo que Margarita de Austria pasaba a ser automáticamente reina de España en el momento de su boda. De España y de Portugal, que desde hacía unos años estaban unidos los dos reinos, cosa que no sucedía desde los reyes visigodos.

La boda se celebró en Ferrara, y, aunque las cortes pontificias española y austriaca estaban de luto por la muerte de Felipe II, se suspendió la celebración del mismo durante los desposorios.

En la catedral el Papa desposó a doña Margarita con el rey Felipe III, representado por el archiduque Alberto, y a continuación se celebró el casamiento del archiduque con la infanta Isabel Clara Eugenia, lo que dio lugar a un pintoresco espectáculo.

La infanta Isabel Clara Eugenia había dado poderes al duque de Sessa para que la representase en la ceremonia, por lo que, muy modosito, éste dio la mano al archiduque y los dos pronunciaron el «sí quiero» ritual. Arrodillados los dos recibieron la bendición nupcial dada por el pontífice. Debía ser cosa digna de ver.

Por la noche se celebró en Ferrara un sarao y baile en honor de la nueva reina, pero ésta no se presentaba a la fiesta, enviando al pontífice una nota en la que le pedía que disculpase su ausencia debido a que por la mañana había comulgado y en los días en que lo hacía no asistía a fiestas. El Papa la convenció diciéndole que no había ningún mal en asistir al baile, ya que, aparte de ser éste honesto, ella se debía a sus obligaciones como reina.

Esta anécdota ya indica el carácter de la reina Margarita.

El 10 de febrero de 1599 la reina embarca en Génova con dirección a Valencia, ciudad a la que se traslada el rey Felipe III para recibirla. El rey llega a la ciudad del Turia el 14 de febrero, cuatro días después de la salida de la reina de Génova; pero pasan los días y la nao que transportaba a la reina Margarita no llega a puerto, pues el mal tiempo lo impedía. Sólo treinta y cinco días después de su partida de Génova llega la soberana a su destino, y aun con aproximación, pues debe desembarcar en Vinaroz, de donde se traslada a Denia, para instalarse en el palacio de don

Francisco Gómez de Sandoval y Rojas, marqués de Denia y pronto duque de Lerma.

Y ahora hagamos un paréntesis para hablar de dicho personaje, de tanta importancia en el reinado de Felipe III.

El mismo día en que murió Felipe II, cuando el ministro Cristóbal de Moura entró en las habitaciones reales con los documentos que debía despachar con el rey, éste mandó que los dejase en uno de los bufetes de la cámara y entregó la llave al marqués de Denia, don Francisco Gómez de Sandoval y Rojas, hijo del cuarto marqués de Denia y de doña Isabel de Borja, hija de San Francisco de Borja, cuarto duque de Gandía.

En el quinto marqués de Denia y cuarto conde de Lerma, creado duque en 1599, se daban las tres condiciones que los tratadistas políticos del siglo XVII señalaban como indispensables en el privado o valido: riqueza, nobleza y prudencia y su valimiento se basaba en su amistad con el rey.

La recepción de los reyes en Denia fue aparatosa, pero de sus gastos no dejó de sacar fruto. El rey correspondió a los obsequios recibidos en Denia, con una escribanía en Sevilla, que el valido vendió en ciento setenta y tres mil ducados, con el nombramiento de comendador mayor de Castilla, oficio que tenía una renta de dieciséis mil ducados, y elevando el condado de Lerma a ducado. Las liberalidades de Felipe III con su valido fueron durante este viaje realmente desorbitadas. Cuando el flamante duque de Lerma le dio la noticia de la llegada de la flota de Indias, le pidió albricias, y el joven rey se las dio espléndidas: cincuenta mil ducados. Estuvo el duque ligeramente enfermo y el rey le envió, con la persona que fue a visitarle en su nombre, diamantes que valían otros cinco mil. Y todavía el codicioso Lerma sacó algo para sus hijos: para Diego, luego conde de Saldaña, niño entonces de corta edad, la encomienda mayor de Calatrava, y para Francisco, marqués de Cea y luego duque de Uceda, una plaza de gentilhombre. Pensaba entonces en otro cargo fructífero, la contaduría mayor de Hacienda; pero no despreciaba otros de menor cuantía: el señorío del lugar de Purroy, las escribanías de Alicante y la alcaldía del castillo de Burgos, porque bien valían cuatro mil ducados de renta. Otros familiares de Lerma resultaron igualmente favorecidos. Un cuñado fue nombrado virrey de Nápoles, y otro, del

Perú; para su yerno, el marqués de Sarriá obtuvo una sinecura de treinta y cinco mil ducados, y para otro yerno, el conde de Niebla, el cargo de cazador o montero mayor.

Los duques de Lerma se instalaron en el Real Palacio de Madrid, en las habitaciones que había ocupado el rey cuando era príncipe. La reina regaló a la duquesa la carroza que recibiera del duque de Mantua, y a la villa de Madrid y a algunos particulares joyas y dinero. Con estos regalos, los poetas tuvieron tema para irónicos sonetos, a riesgo de perder la vida o la libertad. Apetecía el duque el cargo de camarera mayor de la reina, que tenía la duquesa viuda de Gandía, para dárselo a la duquesa de Vibona, hermana de su mujer. La reina se resistía a esa mudanza; pero la de Gandía acabó por dimitir, dejando libre la plaza. La manifestación de simpatía que se le hizo el día de su salida de palacio (17 de enero 1600) dio la medida del desagrado con que los viejos cortesanos presenciaban el encumbramiento de la familia del valido. Pero Lerma desafiaba a los murmuradores. En 1601 hizo que a su tío el arzobispo de Toledo se le diera el adelantamiento de Cazorla; compró en Valladolid a los dominicos, por ochenta mil ducados, la capilla mayor de San Pablo y su patronato; finalmente, inspiró a uno de sus secretarios, Íñigo Ibáñez, un libelo que circuló mucho, en el que se tachaba de «confuso e ignorante» al gobierno de Felipe II. El de Lerma, en lugar de cortar el escándalo que semejante libelo produjo, lo aumentó al imponer al libelista un castigo irrisorio: trasladarle al castillo de Burgos, del que era alcalde el propio duque, dándole a cuenta del Tesoro mil ducados para los gastos.

Era doña Margarita de gran simpatía, fácil de complacer, muy amada por sus servidores e inclinada a hacer el bien. Su juventud, su esbeltez y la belleza de su color compensaban la imperfección de su mandíbula inferior algo prominente. Los retratos que de ella nos han quedado, a pesar de ser cortesanos, nos la muestran con un gesto soberano y desdeñoso. Pero en realidad no era así; parece que todo el mundo la encontraba simpática y afable, empezando por su marido.

El retrato que de éste nos dejó Bartolomé González le muestra más como una figura de polichinela que como un rey. Completamente entregado a sus validos, fiel a su esposa y dado a devociones como ella, no es de extrañar que las fundaciones religiosas de la reina, con el apoyo de su real esposo, fuesen numerosas.

Profundamente creyentes los dos, gustaban de visitar cenobios, en todos los cuales Margarita dejaba huellas de su gran generosidad. Tal era su admiración por la vida religiosa, que se acepta como hecho cierto que hizo construir el convento de monjas agustinas —hoy monasterio de la Encarnación—, próximo al alcázar, para que su constante visión excitase la fe de sus damas y criadas, instándolas a entrar en religión.

El padre Flórez hace una interesante relación de las fundaciones de la reina Margarita: «En Valladolid fundó el convento de las franciscas reales. En Madrid trasladó a las agustinas recoletas de Santa Isabel, desde la calle del Príncipe hasta el lugar donde hoy están (recordar que el padre Flórez escribía en 1761). Protegió con sus limosnas la fundación de la iglesia de carmelitas descalzas de Santa Ana y empezó a fundar el Real Convento de las agustinas recoletas, con título de la Encarnación, en esta misma corte, cuya piedra se puso a 10 de junio de 1611. En la parroquia de San Gil, junto al palacio, introdujo los religiosos franciscanos, cuyo convento persevera hoy con la misma advocación. En el hospital de Antón Martín, en que ejercitan su caridad los padres de San Juan de Dios, hizo una enfermería, dando todas las camas y sustentando siempre el número de seis. A ella se debe la gran fábrica del Colegio de los Jesuitas de Salamanca, pues con celo de la conversión de las almas en el Septentrión y en las Indias, dispuso un seminario universal de ciencias y virtud, donde viniesen a estudiar de las partes de Alemania, su patria, y volviesen hechos operarios evangélicos, saliendo otros a dilatar la Iglesia por el Nuevo Mundo. Las dádivas que hizo a las iglesias y a los necesitados fueron innumerables. Cuanto deseaba tener era para ser más liberal. Nunca tan contenta como cuando socorría a los pobres.»

Aliada de la reina era la emperatriz María de Austria, abuela materna de Felipe III y única hija viva del emperador Carlos V y de la emperatriz Isabel, que vivía en el convento de las descalzas reales, aunque sin haber profesado. Como buena hija de su padre, no podía pasar en silencio la conducta abúlica de su nieto y su entrega total a un valido.

Éste, por su parte, cada vez más audaz se había hecho

nombrar regidor de la ciudad de Valladolid y, en combinación con los notables de la ciudad, se propuso trasladar la capitalidad del reino a la ciudad del Pisuerga. Ante esta decisión protestaron los madrileños, pero de nada les sirvió. El 11 de enero de 1601 la corte emprende viaje hacia Valladolid.

La ciudad tenía unos sesenta mil habitantes y a su alrededor no había ningún coto de caza a la que tan aficionado era el rey. Quedaba lejos de los palacios del Pardo, Aranjuez, El Escorial, el alcázar de Segovia y tantos otros sitios en los que el rey acostumbraba pasar temporada. Si, a pesar de todo ello, el rey accedió a los deseos de Lerma, ello quiere indicar el gran ascendiente que el privado tenía sobre el monarca.

En estos momentos la reina estaba embarazada y se niega a ocupar el palacio que había preparado Lerma para los reyes, porque en él había muerto de sobreparto la primera esposa de Felipe II.

El parto se produjo el 22 de setiembre de 1601. La niña recién nacida sería la famosa Ana de Austria, esposa de Luis XIII de Francia y conocida de sobra, aunque equivocadamente, por los lectores de *Los tres mosqueteros* de Alejandro Dumas.

La vida de los reyes se desarrolla en forma bastante monótona. Se levantan a las cuatro de la madrugada, después del desayuno se sale al campo a cazar la poca caza que hay por los alrededores de la ciudad. ¡Qué lejos están los bosques del Pardo y Riofrío! Almuerzo en plena naturaleza y vuelta a cazar, hasta el anochecer; se cena en el campo si hay luz y hace buen tiempo, y vuelta a la ciudad.

El 1 de enero de 1603 nace una niña que morirá dos meses después.

El 8 de abril de 1605 nace un niño al que se le impone el nombre de Felipe y que reinará después al suceder a su padre. Fue bautizado en San Pablo el 29 de mayo.

A todo esto los madrileños no habían cejado en su empeño de reconquistar la capitalidad de España. Comprendieron que las mejores razones eran las económicas y ofrecieron al rey doscientos cincuenta mil ducados y pingües beneficios al valido. No fue difícil convencer a uno y a otro; el rey añoraba sus cotos de caza y Lerma volvía a Madrid como triunfador, ya que durante este tiempo había muerto la emperatriz María, que siempre se había significado por su antipatía hacia él y que mucho influía en el ánimo de la reina, que la quería mucho y a través de ella influía en el rey.

Total, en marzo de 1606 la corte regresa a Madrid. De la frase «Villa por villa, Valladolid en Castilla» sólo queda el dicho popular porque en adelante la gran villa de España será Madrid y Valladolid recuperará su título de ciudad, una de las más importantes del reino de Castilla.

Si encinta salió doña Margarita de Madrid, encinta vuelve a la capital, y el 18 de agosto de 1606 da a luz en El Escorial al cuarto de sus hijos, María, que acabará casada con Fernando III de Alemania.

Enferma el heredero don Felipe, y la reina declaró luego a fray Pedro Egipciaco, varón muy virtuoso que contaba de gran predicamento cerca de Margarita y Felipe III, algo que el fraile no debería referir nunca ni a nadie en vida de la soberana por expresa prohibición de ésta: «Estando yo acongojada con el temor de la muerte de mi hijo, llegó a mí un niño muy lindo, y me aseguró que no moriría el príncipe. Diome luego esto una gran satisfacción, y queriendo yo saber quién era aquel niño, y por dónde había entrado; nadie me supo dar razón de esto, ni se vio más del tiempo que estuvo hablando conmigo.» Este suceso no sería conocido efectivamente hasta después que hubo fallecido Margarita, ya que, refiriéndolo entonces el fraile a don Diego de Guzmán, éste, como no podía menos, aunque sólo fuese a título anecdótico, y sin aventurarse a darle explicaciones *sobrenaturales,* lo dejó consignado en la vida que escribió sobre esta reina.[1]

Nuevamente queda embarazada la reina, y el 15 de setiembre de 1607 da a luz un niño al que se le impone el nombre de Carlos, y el 16 de mayo de 1609 un niño que recibe el nombre de Fernando. A este niño, a los diez años de edad, el Papa Pablo V le nombró cardenal administrador perpetuo del arzobispado de Toledo en España y prior de Crato y abad comendador del Alcobaça en Portugal. Este cardenal infante murió siendo gobernador y capitán general de Flandes y, para ser algo de todo, también fue padre de una hija ilegítima que, como doña Mariana de Austria, terminó sus días en el monasterio de las Descalzas Reales de Madrid.

1. Véase Fernando González-Doria (Bibliografía).

La reina no cejaba en la lucha contra el valido, que había emprendido a poco de llegar a Madrid. Estaba ayudada por el clero y especialmente por el propio confesor de Felipe III, fray Diego Mardones, quien le aseguraba que no podría salvarse si consentía en las injusticias y latrocinios del valido. Éste procuraba salvar la situación y la de sus amigos, pero en un momento dado sintió que se acercaba su caída y, para prevenir cualquier daño, solicitó del Papa Pablo V la concesión de un capelo cardenalicio, que le fue concedido con el título de San Sixto.

Poco después el rey llamó a su cuarto al prior de El Escorial y le confió el encargo de decir al cardenal-duque que podía retirarse a Valladolid o a Lerma, escogiendo el ya ex valido esta última población.

La noticia alegró al pueblo, siempre contento cuando ve caer a los poderosos, y más todavía en España, donde la envidia es el vicio nacional. Circuló pronto, como no faltaba más, un chiste sobre el suceso, esta vez en verso:

> *Por no morir ahorcado,*
> *el mayor ladrón de España*
> *se vistió de colorado.*

Aludiendo con ello al color del hábito cardenalicio.

No se consiguió gran cosa en el cese del duque de Lerma, puesto que le sucedió en la privanza su hijo el duque de Uceda.

Simon Contarini, embajador veneciano, afirmaba que Felipe III era hombre de buenas cualidades, capaz de comprender cualquier asunto, pero que por pereza no se interesaba en ellos. El duque de Lerma se aprovechó de esta abulia para inclinar al rey hacia los placeres, la caza, la danza, la pelota, la equitación o las cartas.

La reina Margarita continuaba su vida entre enfermedad y enfermedad. El día 24 de mayo de 1610 da a luz una niña a la que se impone el nombre de su madre. Aún no repuesta de sus dolencias, queda de nuevo embarazada, esta vez de un niño al que se da el nombre de Alfonso y que morirá un año más tarde.

Excepto por sus achaques, la vida de la reina es monótona: misa, visitas a conventos y por la noche baile, que sólo se suspende cuando la reina está en cama y no puede asistir.

Tras el parto de Alfonso, la reina ya no puede levantarse de su lecho, siente que va a morir, y así lo dice a su desolado esposo. Con gran serenidad se despide de los cortesanos que la visitan. Pide el viático y recibe la extremaunción y el 3 de octubre muere cristianamente.

Se dijo entonces que la reina había sido envenenada y el rumor popular acusó del hecho al duque de Lerma y a su hombre de confianza don Rodrigo Calderón, marqués de Siete Iglesias.[2]

Felipe III sobrevivió diez años a su esposa, que había muerto a los veintisiete. Él lo hizo a los cuarenta y tres, después de rechazar varios ofrecimientos para volverse a casar.

Según corrió el rumor por las cortes europeas, el rey falleció a causa de la rígida etiqueta de la corte española, de la que para muestra basta un botón: el ceremonial con que el rey se llevaba la copa a los labios es descrito por Rodríguez Villa, citado por Lozoya; lo transcribimos aquí porque ahorra muchas páginas de explicaciones: «El ujier de sala iba a llamar al gentilhombre de boca que le correspondía servir de copero, y acompañados de la guardia, entraban en la cava, donde el sumiller de ella le daba en una mano la copa de su majestad y en la otra la de la salva; después daba al ujier las fuentes, y él llevaba un jarro y una taza grande de salva, donde se colocaba la copa cuando su majestad la pedía. Un ayudante del oficio de la cava llevaba los frascos de vino y agua... El copero se mantenía un poco apartado del estrado, mirando siempre a su majestad para servirle la copa a la menor seña. En este caso, el copero iba por ella al aparador, donde ya la tenía dispuesta el sumiller de la cava, quien, descubriéndola, daba la salva al médico de semana y al copero, y éste, tornándola a cubrir, la llevaba a su majestad precediéndole los maceros, y el ujier de sala, tomándola en la mano derecha y llevando en la izquierda la taza de salva, con cuya misma mano izquierda quitaba la cubierta de la copa, tomaba la salva y daba a su majestad la copa en su mano, hincando una rodilla en el suelo, teniendo todo el tiempo que su majestad tardaba en beber debajo de la copa la salva, para que, si cayesen gotas, no se mojase el vestido. Acabando

---

2. Sobre Rodrigo Calderón, marqués de Siete Iglesias, véase mi libro *Historias de la Historia* cuarta serie, publicado por esta misma Editorial.

éste de beber, volvía el copero a poner la copa en el aparador de donde la había tomado.»

¡Y esto cada vez que en la comida el rey tenía ganas de beber un sorbo de agua o de vino!

Para aclarar el párrafo anterior digamos que «salva» es la prueba que se hacía de los manjares servidos a los reyes y grandes señores, pero que aquí está tomado como sinónimo de «salvilla» o bandeja con encajaduras para asegurar las copas, tazas, etc.

Pues bien, el francés De la Place, en sus *Pièces interessantes*, dice que Felipe III estaba gravemente sentado frente a una chimenea en la que se quemaba una gran cantidad de leña, tanta que el monarca estaba a punto de ahogarse de calor. Su majestad no se permitía levantarse para llamar a nadie, puesto que la etiqueta se lo impedía. Los gentileshombres de guardia se habían alejado y ningún criado osaba entrar en la habitación. Por fin apareció el marqués de Polar, al cual el rey le pidió que apagase o disminuyese el fuego, pero éste se excusó con el pretexto de que la etiqueta le prohibía hacerlo, para lo cual se tenía que llamar al duque de Uceda. Como el duque había salido, las llamas continuaban aumentando y el rey, para no disminuir en nada su majestad, tuvo que aguantar el calor cada vez más fuerte, lo que le calentó de tal forma la sangre que al día siguiente tuvo una erisipela en la cabeza *(sic)* con ardiente fiebre, lo que le produjo la muerte.

# Isabel de Borbón

*Fontainebleau, 1603 — Madrid, 1644*

¿Cómo fue Felipe IV? Creo que se le puede describir con cuatro palabras. Era abúlico, poeta, devoto y mujeriego. Abúlico como persona y como gobernante. Cuando cayó Olivares quiso encargarse personalmente de los asuntos del reino, pero pronto los abandonó en manos del nuevo valido. Se cansaba de ellos y no se veía con ánimos para ejercer de rey. Poeta lo fue, ya que, según se dijo, eran suyas varias composiciones firmadas con el seudónimo de «Un ingenio de esta corte», y si no se dedicó de lleno a la poesía sí era amante de ella y protegió a su manera a poetas y dramaturgos haciendo representar sus obras en el teatro de su Real Alcázar y organizando justas poéticas y recitales en los salones del mismo. Devoto lo era como hombre de su tiempo. Preocupado por sus pecados y su conducta disoluta, buscaba el apoyo de la religión con ánimo pronto desaparecido de corregir sus vicios. Buena prueba de ello la tenemos en su correspondencia con sor María de Ágreda, a la que me referiré más adelante. Mujeriego lo fue en grado sumo, no pudiéndose contar sus múltiples escarceos eróticos con mujeres nobles y otras de baja estofa. Se le reconocen cuarenta y tres hijos, trece de ellos legítimos y treinta bastardos, y podemos imaginar la posibilidad de que haya muchos más que no se conocen.

Refiere Deleito y Piñuela, a cuyas obras se debe recurrir inevitablemente cuando se habla de Felipe IV, que es innegable que el rey era una voluntad enferma, incapaz de continuidad en la acción y un gozador sin tasa de cuantos placeres ponían a su alcance la vida y la realeza.

Un escritor que Deleito no revela ha marcado con notable exactitud la distancia que separa a los cinco soberanos de la casa de Austria española: «Carlos I fue guerrero y rey, Felipe II sólo rey, Felipe III y Felipe IV hombres nada más, y Carlos II ni hombre siquiera.»

La degeneración es notoria. El maravilloso pincel de Velázquez nos lo demuestra en sus retratos. Felipe IV muestra en ellos su expresión de linfática indolencia. Rubio el cabello, sigue Deleito, pálida la tez, caído el labio inferior y el mentón saliente (estigma de su raza), mortecina la mirada de sus ojos azules, marchito el rostro, lánguido el gesto, cansado el ademán como bajo el peso de una carga superior a sus fuerzas, fatiga física de hombre gastado precozmente en los placeres, fatiga moral de quien no puede con la pesadumbre de tan vasta monarquía ni aun teniendo la ayuda de brazos más robustos que los suyos, fatiga hereditaria de vástago real sobre el que gravita la ciclópea labor acumulada por antepasados más vigorosos. Aun bajo la pose teatral de un retrato ecuestre con bélicos atavíos, Velázquez pudo dar al conde-duque de Olivares una imponente y marcial prestancia, pero no logró que el exangüe soberano disimulase la endeblez de su naturaleza.

Pero sería injusto negar al cuarto Felipe muy estimables cualidades personales: poseía inteligencia despejada y claro juicio, no era muy versado en estudios, pero sí inclinado a las letras, entusiasta de los versos, las comedias y las artes, amigo y protector de poetas y artistas.

Era también buen cazador y aficionado a torneos, cacerías y juegos de cañas, y es curioso imaginar cómo compaginaba estos gustos con su porte soberano, pues todos los viajeros extranjeros que le vieron afirman el envaramiento con que los recibía. De pie o sentado, sin mover un músculo de su cara, como una estatua, recibía a los cortesanos, embajadores, presidía consejos, daba audiencias, asistía a representaciones teatrales, siempre impávido, sin hacer un gesto, como un real muñeco o muñeco real. ¿Cómo se avenía este porte con las chocarrerías que eran frecuentes en la vida palaciega? Recuérdese la presencia de bufones en la corte. ¿Cómo se combinaba esta pose con sus múltiples escarceos amorosos? No creo que se pueda estar impasible en las batallas de amor sobre campos de plumas que dijo el poeta.

Vestía sencillamente, era afable y, como buen tímido, tenía arranques de ira que pronto desaparecían y de los que se arrepentía luego. Le costó trabajo despedir a Olivares y después no supo qué hacer con el poder y lo entregó abúlicamente a otro favorito.

Dice el doctor Marañón que en las cartas a sor María de

Juana I (1479-1555).
Cuadro de pintor anónimo.

Doña Juana acompaña
el féretro de su esposo
Felipe. Pintura
de F. Pradilla.

Isabel de Portugal (1503-1539).
Cuadro de Tiziano.

María de Portugal (1525-1545).
Cuadro de pintor anónimo.

**María Tudor (1516-1558).
Cuadro de Antonio Moro.**

**Isabel de Valois (1546-1568).
Cuadro de A. Sánchez Coello.**

Ana de Austria
(1549-1580). Cuadro
de A. Sánchez Coello.

Estatua orante de Felipe II junto a sus cuatro esposas.

**Margarita de Austria (1584-1611). Cuadro de Velázquez.**

Isabel de Borbón (1603-1644).
Cuadro de pintor anónimo.

Mariana de Austria
(1634-1696).
Cuadro de Velázquez.

María Luisa de Orleans (1662-1689). Cuadro atribuido a J. Carreño de Miranda.

Carlos II y María Luisa de Orleans presiden un auto de fe. Tabla pintada por F. Rizi.

Mariana de Neoburgo
(1667-1740). Cuadro
de Lucas Jordán.

Palacio del Buen Retiro, según un grabado del siglo XVIII.

Ágreda se ven una serie de huellas tan finas y precisas de su alma como casi no haya otro ejemplo en la psicología retrospectiva. Las acciones públicas de un político nos revelan muy lejanamente su alma, sus escritos oficiales y sus mismas cartas privadas (escritas casi siempre pensando en el público), menos aún porque ni siquiera tienen la espontaneidad del gesto y de la acción, las memorias, los diarios íntimos, tienen esa misma preocupación espectacular más o menos disimulada y proyectada sobre la posteridad, pero estas epístolas que don Felipe creía escritas a Dios mismo, por intermedio de la madre venerable tocada de revelación, son absurdamente sinceras y no dejan lugar a dudas respecto a su más recóndita personalidad.

De esta correspondencia se desprende el diagnóstico de la enfermedad terrible del monarca: la parálisis de la voluntad. Acaso fuera más exacto decir la ausencia de voluntad, porque muchas veces da la impresión de que no la tuvo nunca.

Tenía Felipe diez años y era príncipe de Asturias cuando se pensó en su boda. Felipe III propuso a Enrique IV de Francia el matrimonio de su hija Ana con el delfín, al mismo tiempo que se proyectaba casar al príncipe Felipe con la princesa Ana, hija del rey francés.

Enrique IV era aquel rey de Navarra protestante que para ser rey de Francia abjuró de sus creencias haciéndose católico diciendo: «París bien vale una misa.» No le hacía mucha gracia casar a su hija con el rey español, que a sus ojos representaba el más intransigente de los catolicismos, pero el 14 de mayo de 1610 un loco Jean François Ravaillac asesina al rey y la reina viuda María de Médicis acepta la propuesta de Felipe III, pero como el novio tenía seis años y la novia siete se acordó esperar cuatro años para celebrar el enlace, con lo que él tendrá diez años y ella once.

Por lo que se refiere a la cuestión económica, el acuerdo fue modélico: cada uno de los reyes dotaba a su vástago con quinientos mil escudos de oro; como la suma era idéntica en uno y otro caso, ni el rey español ni el rey francés desembolsaron un duro.

El 18 de octubre de 1615 el matrimonio se efectúa por poderes en Burdeos, y el apoderado es el por aquel entonces todavía poderoso duque de Lerma.

Terminadas las ceremonias, se emprende el viaje en dirección a la frontera de Bidasoa, a donde llegará por parte española. La comitiva, encabezada por el duque de Guisa, que conducía a la infanta Ana casada en Burgos por poderes con Luis XIII de Francia.

Al atravesar la frontera, la princesa Isabel cambia de ropa y se viste a la española, abandonando los vestidos franceses que llevaba, cosa que fue muy del agrado de los cortesanos españoles. La idea había sido de la reina francesa María de Médicis. El 14 de noviembre llegaron los viajeros a Burgos, donde se encontraba el rey Felipe III acompañado de su heredero el príncipe de Asturias. En la ciudad se celebraron brillantes fiestas y saraos. Comenta González-Doria que de la afición a las mujeres que desde muy temprana edad iba a tener este príncipe da idea el hecho de que, a pesar de tener en este momento solamente diez años y medio, se mostró deslumbrado por la belleza de su esposa, y no apartó de ella ni un instante la vista, enrojeciendo mucho cuando en el sarao que tuvo lugar por la noche le tomó una mano para bailar la «danza de la hacha». Terminados los festejos con los que Burgos celebraba la boda de los príncipes, se fue doña Isabel con los altos dignatarios de su casa al palacio de El Pardo, mientras los dos Felipes, padre e hijo, se adelantaban a Madrid, para preparar el gran recibimiento que la Villa y Corte dispensaría a la joven princesa de Asturias, quien hacía su entrada en la capital del reino el día 19, siendo muy festejada por los madrileños, que no pudieron menos de admirar su belleza, y retirándose doña Isabel nuevamente a El Pardo, mientras el príncipe quedaba con su padre en Madrid, pues no tenían edad de vivir juntos los esposos.

Los jóvenes tuvieron que esperar hasta el 22 de noviembre de 1620, cuando la princesa cumplía diecisiete años de edad y el príncipe quince y medio. A pesar de su edad, el príncipe, que tal vez ya había probado los placeres de Venus, tenía interés en consumar el matrimonio y, según testimonios de la época, se mostraba ardorosamente deseoso de ello. Quince días después la princesa empezó a sospechar que estaba embarazada, cosa que se confirmó al siguiente mes. A eso se llama llegar y besar el santo, pero en marzo de 1621 Felipe III cae enfermo y muere el 31 del mismo mes. Siguiendo tradicional costumbre, los reales esposos se retiran a un monasterio a meditar sobre la muerte. Felipe IV lo hace en San Jerónimo el Real y la princesa Isabel, ya reina, en las Descalzas Reales. Lo bueno del caso es que Felipe no puede permanecer un día sin ver a su esposa y pasaba con ella dos horas diarias. El padre Flórez indica ingenuamente que cuando entraba el nuevo rey en la cámara de su esposa se echaban las cortinas. Debía de tener cosas muy íntimas y secretas de que hablar..., si es que hablaban.

Terminado el luto, volvió la corte a vivir con su ritmo habitual. Si en el anterior capítulo se hablaba del duque de Lerma como valido real, se ha de hablar ahora de don Gaspar de Guzmán y Acevedo, conde-duque de Olivares, duque de Sanlúcar la Mayor y de Medina de las Torres, hombre cuya personalidad ha sido muy discutida tanto en su tiempo como en el nuestro por sus tendencias centralistas, pero que era hombre inteligente y astuto, enormemente trabajador y poco ambicioso en el plano personal.

Dándose cuenta Olivares de la personalidad de Felipe IV, desde joven favoreció todo aquello que podía halagar su sensualidad en todos los campos. La reina Isabel tenía una fuerza de voluntad superior a su marido y era sin duda más inteligente que él y, por ello, Olivares hizo lo posible para entretenerla con festejos y banquetes, bailes, saraos, con lo que la apartaba de los asuntos de gobierno.

Doña Isabel, según todos sus contemporáneos, era muy bella, de carácter jovial y expansivo, amiga de comedias y toros, a los que se aficionó apenas vino a España, y de toda suerte de diversiones bulliciosas, a veces no de buen gusto, como cuando hacía echar culebras y sabandijas en la «cazuela» de mujeres del teatro del Buen Retiro o promovía riñas entre ellas para solazarse con sus aspavientos, grescas y palabrotas. Tal desenvoltura, aunque fuera compatible con la honestidad, dio ocasión en aquella corte relajada a no pocas hablillas, revistiendo carácter de escándalo las referentes a los galanteos que, en opinión muy extendida, le hizo el conde de Villamediana.

Los más se inclinan a suponer inocente a la reina de aquel presunto devaneo; pero, aun admitiendo que ella, con la ligereza juvenil de sus dieciocho años, y habituada a la libertad de la corte francesa, hubiera podido incurrir en algún pecado venial de coquetería, el drama en que se resolvió el presunto galanteo del conde de Villamediana y los años debieron de hacerla más circunspecta en adelante, pues la chismografía española y extranjera, que tantas anécdotas amatorias divulgaron sobre la gente de la corte española, con el rey a la cabeza, no osaron empañar el buen nombre de la soberana, y el pueblo la amó y la respetó hasta su muerte; privilegio que no gozaron otras más frágiles y equívocas, o menos simpáticas, sucesoras suyas en el tálamo regio.[1]

No fue con todo la reina una reina feliz. Cuando llevaba poco más de cuatro meses de reinado dio a luz una niña que murió antes de las veinticuatro horas. Era el 14 de agosto de 1621. También murieron poco después del parto los hijos nacidos en 1623, 1625 y 1626. Con dos abortos más, por fin en 1629 nace un niño, Baltasar Carlos, que es proclamado príncipe de Asturias. En 1635 nace una niña que muere prematuramente, y en 1638 nace otra niña a la que se llamó María Teresa y llegó a ser esposa de Luis XIV de Francia.

Parecía que se había decidido a cumplir con la frase que un día el conde-duque de Olivares pronunció en el consejo real estando presentes los reyes y el inquisidor general: «La misión de los frailes es sólo rezar y la de las mujeres sólo parir.»

Que el rey cumplía con sus deberes de esposo lo demuestran los sucesivos embarazos de la reina, pero aparte del lecho nupcial muchos otros frecuentaba el monarca.

La reina estaba enterada de todo, pero procedente de una corte como la francesa, en la que los adulterios reales estaban a la orden del día, no le daba demasiada importancia a los escarceos eróticos de su esposo. Por otra parte, siendo muy religiosa, como era, encontraba consuelo en la oración. Gustaba en fundar conventos y asistir a los votos de las nuevas religiosas. Se dio el caso —dice González-Doria— de que en un mismo día profesaron en el convento de Santo Domingo el Real tres hijas de la marquesa de Mortara y a las tres las dotó la reina asistiendo a la solemne ceremonia; esto era por la mañana y por la tarde se trasladó con la corte al convento de los Ángeles, donde dos de sus camaristas iban a tomar el velo como novicias, y aún no fatigada la soberana con el piadoso trajín de la jornada dio aquella noche una gran fiesta para que luciese en ella por vez primera una nueva dama que había tomado a su servicio: la cuarta de las hijas de aquella marquesa de Mortara que no había querido seguir el camino que la vocación religiosa señalaba a sus tres hermanas.

1. Véase José Deleito y Piñuela (Bibliografía).

Era el rey Felipe IV, como hemos dicho, muy mujeriego y dado a devaneos amorosos y a aventuras con mujeres de diverso rango y condición social. Desde damas de la corte a actrices, como la Calderona, todo pasó por su lecho o el rey pasó por el lecho de las damas. No es de extrañar, pues, que se le atribuyesen amores incluso con mujeres consagradas a Dios. En la literatura castellana de la época se habla mucho de los galanes de monjas, por lo que no es de extrañar que entre ellos la voz popular colocase el nombre del monarca.

Gregorio Marañón en su libro *Don Juan* ha estudiado lo que él califica de fábula donjuanesca y la refiere como se cuenta una obra dramática. El rey, el conde-duque de Olivares y el protonotario Villanueva están reunidos y para distraer al soberano de las preocupaciones sobre el estado del reino, le hablan de la hermosura de sor Margarita de la Cruz, monja del convento de San Plácido. Basta ello para que el rey no pueda vivir tranquilo hasta que puede ver con sus ojos la verdad de lo dicho por Villanueva, lo que consigue acudiendo disfrazado al locutorio del convento. Con dinero soborna a los guardianes del mismo, pero no puede hacer lo mismo con la priora, que virtuosamente rechaza indignada cualquier proposición deshonesta. Pero el hecho de que ésta exista hace que vigile más que nunca a las monjas del convento del que ella es superiora y guardiana.

Nadie mejor que el propio Marañón para narrar el fin de la aventura. Villanueva, que habitaba una casa de la calle de la Madera, pared por medio de San Plácido, hace perforar el muro medianero; y al caer la noche, alejadas por el oro las gentes del servicio, el rey, temblando de amor y de la emoción sacrílega de la aventura, penetra en el sagrado recinto. El agujero que le sirve de paso da sobre la carbonera del convento. Los tres caballeros[2] atraviesan embozados los sótanos lóbregos y el patio, entran en la clausura y avanzan hacia la celda de sor Margarita. Villanueva precede al rey y el valido, alumbrándolos con un farol. Ya están frente a la puerta de cuarterones. Nadie los ha visto. Pero la superiora, que velaba en silencio por la pureza de sus monjas, tenía preparado al galán augusto un recurso de gran efecto teatral y maravillosamente español:

---

2. El rey, Villanueva y el valido conde-duque de Olivares.

cuando don Jerónimo abre la puerta, aparece el austero y breve recinto de la celda iluminado por cuatro cirios; en medio descansa en su ataúd sor Margarita, inmóvil, pálida como la cera, con un crucifijo entre las manos cruzadas sobre el pecho. El farol cae de las manos del espeluznado alcahuete; y retrocediendo, lleno de pavor, arrastra al rey y a Olivares por los pasillos y las escaleras oscuras hacia la salida, refiriéndoles, mientras se santigua, el providencial suceso en que asoma la ira del único que puede reprimir desde su altura la voluntad licenciosa del monarca. Entretanto, la falsa muerta sale de su ataúd, y confortada por la priora, que velaba en la celda próxima, da gracias a Dios; y acaso ahoga en lo más hondo de su conciencia un suspiro de desilusión.

Al desenfreno sexual del monarca corresponde el de los cortesanos. Pocas veces en España se ha visto una mezcla tan rara de religión y erotismo. No en vano es la época en que surge el mito de don Juan, estudiado maravillosamente por el doctor Marañón en su libro del mismo título.

Por su parte, la reina sólo pensaba en divertirse, y que conste que en eso de las diversiones se deben incluir las funciones religiosas que asiduamente frecuentaba.

Un personaje interesante de la época es don Juan de Tasis y Peralta, conde de Villamediana. Era hombre de ingenio y exquisito poeta, algunas de cuyas obras figuran en las antologías. Hallándose un día en la iglesia de Atocha, un fraile le pidió una limosna para las almas del purgatorio. Villamediana le dio un ducado y el fraile, con una reverencia, le dijo:

—Acabáis, señor, de liberar una alma.

A esto respondió el conde, entregando otro ducado:

—Habéis liberado otra alma, señor.

Siguió uno dando ducados y el otro anunciando liberaciones, hasta que, de improviso, preguntó el benefactor:

—¿Me aseguráis que todas esas almas han sido liberadas?

—Sin la menor duda, señor —se apresuró a afirmar el agradecido fraile.

—Entonces devolvedme mis ducados —exigió Villamediana— porque, puesto que las almas están en el cielo, no es de temer que vuelvan al purgatorio.

Este personaje guapo, bien plantado, noble, rico —es decir, con todos los merecimientos que exigía la sociedad de la época— dio lugar con su conducta a que se le atribuyesen amores con la propia reina. Se cuentan a este respecto anécdotas muy significativas.

Se dice que estando la reina Isabel asomada a un balcón de palacio sintió que unas manos le tapaban los ojos e Isabel, creyendo que era el conde de Villamediana, dijo:

—Estaos quieto, conde.

Pero no era Villamediana sino el rey quien le había gastado la broma y que indignado le preguntó:

—¿Cómo es que me habéis dado este título?

A lo que la reina respondió:

—¿Por qué no? ¿Acaso no sois el conde de Barcelona?

La respuesta fue hábil, pero no sabemos si convenció al rey, quien efectivamente era conde de Barcelona por ser rey de España, pues el título condal, como ya he dicho otras veces y no me cansaré de repetir, pertenece, por ser título de soberanía, única y exclusivamente al rey y a nadie más.

Dícese también que intrigada la reina sobre quién era la dama a quien iban dirigidas las poesías del conde, éste le respondió que se lo diría al día siguiente y al siguiente día le envió un espejo.

Esta anécdota, posiblemente falsa, la he visto adjudicada a multitud de personajes de diversas épocas y países.

Por fin se cuenta que en una corrida de toros en la que rejoneaba Villamediana, la reina Isabel dijo a su esposo:

—Qué bien pica el conde.

A lo que el rey respondió:

—Pica bien, pero muy alto.

La que sí parece que es cierta es la anécdota que se sitúa en la plaza Mayor de Madrid, allá por el verano de 1622.

El conde de Villamediana salió a rejonear un toro y el público se dio cuenta de que por divisa llevaba varios reales de plata con la inscripción «Éstos son mis amores».

Conociendo el amor del conde por el dinero se creyó que a ello hacía alusión la divisa antedicha, pero pronto alguien descubrió el secreto. Quería decir: «Son mis amores reales.»

—Pues yo se los haré cuartos —dijo el rey.

Y he aquí otro problema a resolver. Dando por cierto que la inscripción quería decir que sus amores tenían algo que ver con la realeza, ¿a quién se referían?

En algunas de las poesías llama a la mujer amada Francelisa o Francelinda, de lo que algunos autores deducen que se refería no a la reina, sino a Francisca de Tavora, a quien el rey le había puesto los puntos sin conseguir sus favores, cosa que sí había logrado Villamediana.

Claro está que Francelisa o Francelinda pueden referirse también a Isabel de Borbón «francesa», «francesita» o «francesa linda».

Pero hay un hecho que ha hecho correr ríos de tinta. Se representaba en los jardines de Aranjuez, y en un teatro de madera levantado por el arquitecto Fontana, una obra de Villamediana titulada *La gloria de Niquea*. El escenario, adornado con catorce arcos y con el techo representando la bóveda celeste, gustó mucho al auditorio constituido por los reyes y la corte, significando un triunfo para su autor.

No había entonces posibilidad de cambiar decorados y tramoyas, por lo que el público se trasladó a otro teatrito situado en el Jardín de los negros, donde se iba a representar una comedia de Lope de Vega.

A poco de empezar el segundo cuadro una antorcha encendida cayó sobre un dosel, originando un incendio que causó el pánico entre los presentes y el desmayo de algunas damas, entre ellas la reina.

Alguien la levantó en brazos y la libró de las llamas. ¿Quién fue? Posiblemente el rey, que estaba a su lado, pero no faltaron maldicientes que dijeron que el salvador había sido Villamediana. Más aún, se dijo que era el propio conde quien había prendido fuego al teatro para poder tener en sus brazos a la reina, aunque fuese por pocos momentos.

Sea lo que sea lo que sucedió en verdad, lo cierto es que las hablillas se desbordaron y más todavía cuando, el 21 de agosto de 1622, cuando iba Villamediana por la calle Mayor en su carroza acompañado por don Luis de Haro, del callejón de San Ginés salió un hombre que armado con una ballestilla o algo similar le asestó tan rudo golpe que, después de atravesarle un brazo, le taladró el pecho, rompiéndole dos costillas y, asomando por el hombro la punta del hierro, le causó la muerte.

Lo más singular es que era día de fiesta, y la calle Mayor, como lugar de paseo, estaba concurridísima; circunstancia que aprovechó el matador para escabullirse entre el gentío sin ser capturado. Díjose que otros hombres facilitaron su fuga, dando espaldarazos a los lacayos que custodiaban el coche y desapareciendo en el tumulto.

Quevedo, en sus *Grandes anales de quince días*, dice que el confesor de don Baltasar de Zúñiga advirtió a Villamediana que mirase por sí, pues temía por su vida, y el conde respondió: «que sonaban las razones más de estafa que de advertimiento». Y añade el gran satírico:

«El conde, gozoso de haber logrado una malicia en el religioso, se divirtió de suerte que, habiéndose paseado todo el día en su coche, y viniendo al anochecer con don Luis de Haro, hermano del marqués del Carpio, a la mano izquierda en la testera, descubierto al estribo del coche, antes de llegar a su casa, en la calle Mayor, salió un hombre del portal de los Pellejeros, mandó parar el coche, llegóse al conde y, reconocido, le dio tal herida, que le partió el corazón. El conde, animosamente, asistiendo antes a la venganza que a la piedad, y diciendo: Esto es hecho, empezando a sacar la espada y quitando el estribo, se arrojó en la calle, donde expiró luego entre la fiereza deste ademán y las pocas palabras referidas. Corrió el arroyo toda su sangre, y luego arrebatadamente fue llevado al portal de su casa, donde concurrió toda la corte a ver la herida, que cuando a pocos dio compasión a muchos fue espantosa.»

Mi amigo Néstor Luján, gran historiador, gran novelista y hombre de raras y curiosas sapiencias, en su libro *Decidnos quién mató al conde*, narra las varias razones que hubo para el asesinato, entre ellas una muy curiosa. Resulta que Narciso Alonso Cortés descubrió en Valladolid unos legajos en los que se vertían insinuaciones sobre la virilidad del conde, que al parecer estaba mezclado en ciertos asuntos de homosexualidad. Por lo menos después de su muerte algunos de sus criados y lacayos fueron quemados por practicar lo que entonces se llamaba pecado nefando.

Deleito y Piñuela refiere que Góngora, gran amigo de Villamediana, dice que éste iba desde palacio hacia la Puerta del Sol cuando fue víctima del atentado; que, sintiéndose morir, pidió confesión, y acudió a socorrerle un clérigo, el cual le absolvió, aunque el estado del conde no le permitía hablar. Fue llevado éste a su casa antes que expirase. Luego se expuso el cadáver en la iglesia de San Felipe, y «lo enterraron aquella noche en un ataúd de

ahorcados que trajeron de San Ginés, por la priesa que dio
el duque del Infantado, sin dar lugar que le hiciesen una
caja».

Fue conducido el cuerpo al convento de San Agustín,
de Valladolid.

La justicia hizo inútiles o amañadas diligencias por
descubrir a los asesinos, que quedaron en el misterio, y
aun se dice que recibieron prebendas. Pero la voz pública
señaló, tras el brazo homicida, al inductor, que ceñía
corona, y a quien aludieron harto transparentemente los
ingenios de la época en las poesías con que comentaron el
triste fin del vate prócer. Pronto se hizo popular aquella
décima, atribuida a Góngora, que dice así:

> —*Mentidero de Madrid,*
> *decidnos: ¿quién mató al conde?*
> *Ni se sabe ni se esconde.*
> *Sin discurso discurrid.*
> *—Dicen que le mató el Cid*
> *por ser el conde lozano.*
> *¡Disparate chabacano!*
> *La verdad del caso ha sido*
> *que el matador fue Bellido*
> *y el impulso soberano.*

Otra décima, atribuida a Lope, empieza así:

> —*Aquí, con hado fatal,*
> *yace un poeta gentil:*
> *murió casi* juvenil
> *por ser tanto* Juvenal.[3]

Digamos para terminar con este caballero que no pocos
cortesanos debieron de respirar aliviados cuando supieron la
muerte de Villamediana, pues éste no vacilaba en dispararles
epigramas hirientes e irónicos. Vayan estos dos como muestra:

> *Cuando el señor de Malpica*
> *caballero de la llave*
> *con su silencio replica*
> *dice todo cuanto sabe.*

3.   Alusión al poeta satírico latino de ese nombre.

> *Qué contento va Vergel*
> *con su cintillo de diamantes,*
> *diamantes que fueron antes*
> *de amantes de su mujer.*

No cabe duda que tanto Malpica como Vergel debieron respirar aliviados cuando se enteraron del suceso.

Si los amores de Villamediana por la reina Isabel parecen pertenecer al reino de las murmuraciones históricas, no lo son en cambio los de Felipe IV con mujeres de varia laya, entre las que sobresalió María Inés Calderón, llamada comúnmente *la Calderona,* que tenía dieciséis años cuando la conoció el rey. La vio representar en el Corral de la Cruz, al que el monarca acudía de incógnito, y prendado de su voz y de su gracia, pues era más graciosa que hermosa, mandó que la llevaran a palacio. Se dijo entonces que quien favoreció los amores fue el conde-duque de Olivares, que según se dijo era también amante de la actriz.

Esto último debe ser puesto en duda, ya que, como dice Bertaut en su *Journal d'un voyage d'Espagne*: «Se afirma que el rey no lograba llegar a lo que se esperaba, aunque en este tiempo era muy vigoroso y por ello estaba desesperado, de manera que consultó a su cirujano, quien visitó a la dama y encontró un obstáculo, por lo que fue necesario hacerle una operación que ella sufrió, después de lo cual el rey tuvo su contentamiento.» Se decía, a pesar de ello, que quien inició a *la Calderona* a las artes del amor fue el duque de Medina de las Torres.

Deleito y Piñuela dice que las hablillas que recogió la condesa de Aulnoy referían que, antes de rendirse *la Calderona* a las solicitaciones del rey, comunicó éstas a dicho duque, que era su amante de corazón, proponiéndole que se refugiara con ella en algún sitio secreto, donde ambos pudieran disfrutar de su amor sin sufrir la persecución de Felipe IV. Pero el duque, temeroso de caer en desgracia con su señor, manifestó a María que le era imposible disputarle aquel capricho. Reconvínole ella por su debilidad con transportes de mujer enamorada, y le decidió a refugiarse en casa de ella, simulando un viaje a sus posesiones de Andalucía. No pudo menos de rendirse la linda actriz a las pretensiones soberanas; pero al menos mantuvo calladamente su amorío con el de Medina. «El rey, entretanto —añade la viajera francesa—, sentíase muy enamorado y satisfecho, y algún tiempo después, cuando María parió a don Juan de Austria[4] lo mucho que se asemejaba éste al duque de Medina de las Torres dio asunto para que las gentes lo creyeran su hechura [...] Un día sorprendió el rey al duque de Medina de las Torres con su querida, y en un arrebato de cólera se acercó a él puñal en mano, resuelto a matarle, cuando María se interpuso, diciendo que vengara en ella si ofendido se creía. El rey no supo negar su perdón, pero desterró al amante... Parece confirmado que, a pesar de todo, creyó el rey a don Juan hijo suyo, pues le amó tiernamente.»

Es muy probable que tal anécdota sea pura fantasía, como tantas otras que sobre aquel libertino monarca circularon; pero sí es cosa cierta que el destierro sufrido entonces por el duque de Medina de las Torres se atribuyó entre el vulgo a celos del monarca.

El hecho de que el hijo de *la Calderona* fuese reconocido como suyo por el rey indignó a la reina, olvidando que Enrique IV, su padre, había reconocido a once. Felipe IV, de los treinta bastardos que tuvo, sólo reconoció a uno.

Por su parte, el príncipe Baltasar Carlos había sido jurado príncipe de Asturias el 7 de febrero de 1632, cuando tenía dos años y medio. Conservamos de él un retrato hecho por Velázquez y alcanzó la edad de diecisiete años y probablemente España hubiese tenido un rey con el nombre de Baltasar I si no llega a ser que el 9 de octubre de 1646 falleciera en Zaragoza. La causa de su muerte se dijo que habían sido unas viruelas malignas, pero se afirmó también que don Pedro de Aragón, gentilhombre de la cámara de su alteza, le dejó pasar una noche con una ramera, de lo cual se le originó gran debilidad y fiebre. Los médicos, ignorantes del origen de la dolencia, le sangraron, acelerando la muerte, y don Pedro, por consentir el exceso o no revelarlo oportunamente, cayó en desgracia.

De todos modos, no era precisamente el príncipe Baltasar Carlos ni muy inteligente ni de muy buenas costumbres. Su alteza el príncipe de Asturias Baltasar Carlos, heredero del trono de España y de sus Indias, se distraía capando gatos.

Por Madrid corrió esta coplilla de autor desconocido:

4. Juan José de Austria; no confundirlo con el hermano bastardo de Felipe II.

*Príncipe: mil mentecatos*
*murmuran sin Dios ni ley*
*de que, habiendo de ser rey,*
*os andéis capando gatos;*
*y es que, con sus malos tratos,*
*se teme que os enseñéis,*
*y cuando a reinar lleguéis*
*en este reino gatuno*
*no quede gato ninguno,*
*que luego no lo capéis.*

No se olvide que los habitantes de Madrid eran llamados gatos.

Fue Isabel de Borbón una buena reina de España. Durante las ausencias de su esposo presidía sus consejos y lo hacía con tal autoridad que el conde-duque de Olivares deseaba que volviese pronto el monarca para gobernar a su guisa. No andaba equivocado el valido por cuanto un buen día la reina se armó de valor y se presentó ante su esposo, llevando de la mano al príncipe heredero Baltasar Carlos. Le expone los problemas de gobierno de los que ella ha tenido conocimiento, analiza la situación del reino y pide al rey que, si quiere serlo de verdad, si ama a sus súbditos y quiere entregar su reino a su sucesor intacto y sin problemas, lo mejor que puede hacer es despachar al conde-duque de Olivares. De esta misma opinión era sor María de Ágreda, la monja que tanta influencia tuvo en el gobierno y en la vida de Felipe IV.

El conde-duque es llamado el 17 de enero de 1643 y el rey le ordena que le entregue todos sus poderes y se retire a su villa de Loeches, y se dispone que desde aquel momento en adelante será el propio rey el que gobernará directamente. De lo que se cansó a los pocos días.

En otoño de 1644 la reina cae enferma de erisipela, prohíbe que le visite su hijo Baltasar Carlos, pronunciando la frase: «Reinas para España hay muchas, pero príncipes hay pocos.»

El soberano está lejos de Madrid. Reventando caballos, llega a la corte, pero la reina había muerto el día antes, cuando le faltaba un mes para cumplir cuarenta y un años de edad. Era el 6 de octubre.

Felipe IV no quiso ver el cadáver de la reina, que fue trasladado a El Escorial, presidiendo el cortejo el príncipe

Baltasar Carlos, el heredero que no llegó a reinar, pues falleció dos años después.

El rey escribe a sor María de Ágreda: «Me veo agobiado de insoportable tristeza, pues en una sola persona he perdido cuanto perder pudiera en este mundo.»

Es un bello epitafio.

# Mariana de Austria

*Viena, 1634—Madrid, 1696*

Muerta la reina Isabel, no entraba en los designios del rey contraer nuevo matrimonio. En el príncipe Baltasar Carlos tenía asegurado el heredero al trono, y por lo que se refiere a tener compañía en el lecho harto sabía él componérselas para no tener necesidad de dormir solo.

Algunas de las aventuras del rey no tuvieron precisamente un final del agrado del monarca.

La condesa de Aulnoy refiere en su libro sobre el viaje que hizo por España, en 1679, el siguiente lance, que le había sido relatado:

«Una de las mujeres a quienes amó aquel rey más apasionadamente fue la duquesa de Alburquerque. Teníala su marido bien guardada, pero los obstáculos aumentaban las aficiones del rey en lugar de vencerlas, haciendo cada vez sus deseos mayores. Un día, mientras jugaba, y en lo más interesante de la partida, fingiendo acordarse de un asunto muy urgente, que sin demora debía despachar, llamó al duque de Alburquerque para encargarle de su puesto mientras él se ausentaba. Saliendo de aquella estancia, tomó una capa, y por una escalera secreta fuese a casa de la joven duquesa, seguido del conde-duque, su favorito. El duque de Alburquerque, más cuidadoso de sus propios intereses que del juego del rey, sospechando y temiendo una sorpresa, fingióse acometido por dolores horribles, y entregando a otro las cartas, retiróse a su casa. Acababa el rey de llegar sin acompañamiento; vio acercarse al duque cuando aún estaba en el patio, y se ocultó; pero no hay ojos más penetrantes que los de un marido celoso. Éste, comprendiendo hacia qué parte andaba el rey, sin pedir luces, para no verse precisado a reconocerle, llegóse con el bastón levantado, gritando: "¡Ah, ladrón! Tú vienes a robar mis carrozas." Y sin más explicaciones, le sacudió lindamente. El conde-duque no se libró tampoco de sufrir tan vil trato, y, temiendo que las cosas acabaran peor, repetía que allí estaba el rey, para que contuviera el duque su furia; pero el duque redoblaba sus golpes en las costillas del rey y del ministro, y a su vez decía que iba siendo el colmo de la insolencia emplear el nombre del rey y de su favorito en tal ocasión, y que ganas le daban de llevarlos a palacio para que su majestad el rey los mandara luego ahorcar. En medio de tanto alboroto, el rey pudo escapar, desesperado por haber sufrido inesperada paliza sin recibir de la dama pretendida el más ligero favor. Esto no tuvo consecuencias fatales para el duque de Alburquerque; muy al contrario: sirvió para que desistiera el rey de sus propósitos y, olvidado pronto de la duquesa, hiciera el duro lance objeto de risa.»

No me negarán mis lectores que el episodio parece sacado del *Decamerón* de Boccaccio.

De otra dama se cuenta que, pretendida por el rey, le desengañó diciendo:

—Señor, no tengo vocación de monja ni de puta de historia.

Con lo que aludía al destino de *la Calderona,* que cuando dejó de ser amante real ingresó o la ingresaron en un convento. Terminó sus días de abadesa de un convento de la orden de San Benito en la Alcarria.

A la rijosidad del monarca sólo era comparable su sentido religioso y su devoción. No es ello de extrañar, puesto que la sensualidad no está reñida con el sentido del pecado. Lo malo es cuando esto último no existe. El inmoral cree en una moral que conculca y por ello puede arrepentirse. El amoral ignora la prohibición y el pecado, y por ello es difícil que modifique de conducta.

Felipe IV era hombre religioso, y por ello tenía conciencia de sus pecados, lo que no le impedía volver a cometerlos tras un arrepentimiento sincero pero de poca duración. La sensualidad del monarca ganaba siempre la partida.

Y a fe que no le faltaban dignos consejeros. A sus confesores habituales se le puede añadir una mujer excepcional, conocida por el nombre de sor María de Jesús de Ágreda, en el siglo María Coronel.

El rey la conoció en 1643 en un viaje que realizaba a Aragón. Al pasar por la villa de Ágreda se detuvo en el monasterio de las concepcionistas, de donde sor María era abadesa. Era mujer de gran sentido común, de una religiosidad profunda que escribió un libro sobre la Virgen María titulado *Mística ciudad de Dios,* voluminosa obra que narra la vida de la Virgen con detalles que van desde una ingenuidad infantil hasta el arrebato místico.

El rey inició una correspondencia con la monja en la que le explicaba detalles de su vida privada y de su vida pública como rey.

En el capítulo anterior ya se citó el comentario que esta correspondencia mereció del doctor Gregorio Marañón.

Si al destierro del conde-duque de Olivares Felipe IV se decidió a gobernar por sí mismo, su buena decisión no duró mucho tiempo y se entrega nuevamente en manos del nuevo valido llamado Luis de Haro. Lo que le importa al rey es seguir disfrutando de la vida y no preocuparse de los intereses del reino; pero el destino dispone las cosas de tal modo que vuelven a preocupar al rey. En 1644, a la muerte de su esposa Isabel de Borbón, el príncipe Baltasar Carlos aseguraba la herencia del trono, pero dos años después, en octubre de 1646, muere el príncipe, y sólo le queda al rey una hija, la infanta doña María Teresa, de ocho años de edad. He aquí cómo se ve obligado a buscar nueva esposa para asegurar la sucesión en el trono.

Mientras vivía el príncipe Baltasar Carlos se había hablado de casarle con su prima hermana la archiduquesa Mariana de Austria, hija del emperador Fernando III y de la infanta doña María de Austria, hermana del rey. Sucedía así algo parecido a lo que aconteció con Felipe II cuando matrimonió con la que tenía que ser esposa de su hijo el príncipe Carlos.

Mariana de Austria tiene en estos momentos trece años y Felipe IV cuarenta y uno, está precozmente envejecido debido a la vida crapulosa que ha llevado, pero la razón de Estado se impone y acepta la idea de casarse con su propia sobrina, como se la ofrece el emperador en la misma carta en la que le comunica el pésame por la muerte del príncipe. No es precisamente un detalle de buen gusto.

El abuelo paterno de Mariana, Fernando II de Alemania, y su abuela materna, la reina doña Margarita, esposa de Felipe III, eran hermanos, y por ello los padres de la archiduquesa Fernando III y doña María de Austria eran primos hermanos, por lo que Mariana era sobrina carnal de Felipe IV. Como se puede ver, el lío familiar es enorme y la degeneración debida a la consanguinidad era cada vez más intensa. No es de extrañar que el hijo que surgió de estas nupcias fuese un imbécil degenerado.

Las capitulaciones para el enlace de Mariana y Felipe IV se firmaron el 2 de abril de 1647. El emperador Fernando daba a su hija una dote de cien mil escudos de oro y debía recibir en arras otros cien mil escudos, cincuenta mil para joyas. Pero esto era sobre el papel porque en realidad ni uno ni otro monarca tenían un duro. Lo confiesa Felipe IV a sor María de Ágreda cuando le dice que las bodas se demoraban «por la falta de caudal en que nos encontramos el emperador y yo».

El 8 de febrero de 1648 salía la comitiva española en dirección a Viena. Ya se ha dicho que el erario español estaba arruinado, pero he aquí la descripción de la comitiva, según González Cremona:

«Acompañaban al duque de Nájera, jefe de la expedición y, como tal, espléndidamente retribuido, el cardenal de Montalto, el obispo de Leyra, dos capellanes de honor, tres gentileshombres grandes de España, dos meninos hermanos del príncipe Doria, dos caballerizos, camarera mayor, treinta y dos damas, azafatas y dueñas de retrete; gran número de criadas inferiores, ocho pajes, un oficial mayor, un tesorero, un despensero mayor, contralor, graffier, dos médicos, un guardacamas, un montero, un repostero de camas, tres porteros de cámara, ocho escuderos de a pie, tres aposentadores de camino, un ayuda de oratorio, varios panaderos, fruteros, ujieres de vianda y un guardamangier. A cada uno de estos funcionarios le acompañaban numerosos ayudantes y escoltaba la comitiva un destacamento de soldados. Estos soldados españoles no serían, seguramente, los mismos que por esos días pedían limosna por las calles de Flandes para poder comer.»

A esto se llamaba la casa de la princesa. Y como dice muy bien Silvela, salió esta «casa», que mejor pudiera llamarse villa o ciudad populosa, de Madrid el día 16 de noviembre de 1648; diose a la mar en Málaga el 21 de enero, y llegó el 17 de mayo de 1649 a Roveredo, lugar designado para las entregas; invirtióse así en la embajada cerca de un año, y en tales atenciones se gastó el caudal de una campaña; pero identificado por completo el monarca con el gusto nacional, de etiqueta fastuosa en servidumbre, empleados y dependientes inútiles, declaraba a la venerable madre (sor María de Ágreda) cuanto le abrumaban y dolían estos sacrificios, ahora más que nunca que, por los alborotos de Nápoles y Sicilia, no venían de allí socorros; pero tan inexcusables son —decía— «que habría de hacerlos, aunque para ello nos vendiéramos todos».

No es de extrañar que diez años después, cuando murió el soberano austriaco, no se encontrara dinero en palacio para el entierro.

Fíjese bien el lector en el calendario: en 1646 fallece Baltasar Carlos, el 2 de abril de 1647 se firman las capitulaciones para el enlace, el 8 de febrero de 1648 sale de Madrid la comitiva que va en busca de la nueva reina de España, el 8 de noviembre del mismo año se celebra el casamiento por poderes y el 13 del mismo mes y año sale la comitiva regia de Viena, que no llegará a España hasta el mes de agosto de 1649.

Fue en Trento donde la nueva reina de España fue entregada a los españoles, que tuvieron que comprar un completo ajuar de vestidos y joyas porque el emperador entregaba a su hija sólo con lo puesto. Pero hay más todavía. Doña Mariana iba acompañada de su hermano, el rey Leopoldo de Hungría, que al despedirse con una cara dura imponente se apoderó de muchos de los regalos que los españoles habían hecho a la reina y se quedó con ellos.

La misa de velaciones se celebró en Navalcarnero, y el hecho de que los matrimonios reales se celebraran a veces en pueblos humildes, como este de Navalcarnero, puede llamar la atención y se pretende explicarlo por cuanto el lugar en que se celebraba la boda regia quedaba exento de tributos; por ello se escogía un pueblo pobre y con poca tributación para hacer menos gravoso tal privilegio para la Hacienda pública.

Como en ocasiones anteriores, el rey, en cuanto supo la llegada de Mariana a Navalcarnero, marchó hacia allí a caballo y de incógnito para contemplar a la que había de ser su esposa. Le gustó, según se desprende de la carta que envió a sor María de Ágreda.

Un comentarista de la época dice de Mariana de Austria que a su gusto no la pudo hacer mejor la imaginación: era blanca, rubia, alegre de humor y ocurrente, y por cara, talle, aire, garbo y agrado tuvo en el aplauso del pueblo por bien merecida la corona.

Por su parte, el rey escribía a sor María: «No sé cómo agradecer a Nuestro Señor la merced que me ha hecho dándome tal compañía, que todas las prendas que hasta ahora he conocido en mi sobrina son grandes, y ya que he recibido de Dios tan singular favor, sólo me resta no mostrarme desagradecido, mudar de vida y ejecutar su voluntad en todo.»

Dice Deleito y Piñuela, a quien sigo con agradecimiento, que el carácter de doña Mariana, que años después había de distinguirse por lo agrio, huraño y sombrío, era entonces el de una ingenua chiquilla pizpireta y alegre que se ahogaba entre las mallas espesas de la rigurosa etiqueta palaciega. Nada contenía su humor jovial, risueño, expansivo, amiga de divertirse y de sencillez infantil.

Madame d'Aulnoy refiere una anécdota sobre la ingenuidad de la joven Mariana, referente al mismo primer viaje que hizo por España al encuentro del que iba a ser su esposo. Dice que en una de las ciudades de tránsito, «donde se hacen muy buenos guardapiés y camisolas y medias de seda, le ofrecieron una gran cantidad de diferentes colores. Pero el mayordomo mayor, que guardaba exactamente la gravedad española, se enfadó por aquel regalo; cogió todos los paquetes de medias de seda, y, tirándoselos a la cara a los diputados de la ciudad, les dijo: Habéis de saber que las reinas de España no tienen pierna, queriendo significar que, por ser su jerarquía tan elevada, sus pies no tocaban el suelo, como las demás mujeres».

Más bien se propondría expresar su desagrado por un presente que aludía a parte del cuerpo entonces recóndita para una dama, como las extremidades inferiores, lo cual parecía poco correcto siempre, y más inconveniente aún tratándose de una soberana.

«De todos modos —prosigue la viajera—, la reina, que ignoraba la delicadeza de la lengua española, entendió la frase al pie de la letra y empezó a llorar, diciendo que quería volverse a Viena, y que, si ella hubiese sabido antes de su salida que pensaban cortarle las piernas, hubiera preferido morir mejor que ponerse en marcha.»

La reina ha cumplido ya quince años, el rey cuarenta y cuatro; está artrítico y padece alguna enfermedad venérea, pero cumple con su deber conyugal a trancas y barrancas. El 12 de julio de 1651 la reina da a luz una niña, la infanta Margarita, que pocos años después posaría para una de las joyas más importantes de la pintura mundial: *Las meninas* de Velázquez.

Tres años después la reina vuelve a estar embarazada. Barrionuevo, en uno de sus avisos de 24 de julio de 1655, escribe: «Tiene la reina sospechas de preñada. Dios lo haga, y si ha de ser hija, ¿para qué la queremos? Mejor será que no lo esté, que mujeres hay hartas.» La reina da a luz otra niña, María Ambrosia de la Concepción, epiléptica, que sólo vivió quince días.

Nuevo embarazo, nuevo parto, y nueva muerte el mismo día de su nacimiento. Era otra niña.

Más embarazos. La reina tiene antojos cada vez más extraños. Barrionuevo dice: «Jueves, 8 de noviembre, estando a la mesa la reina se le antojaron buñuelos. Fueron volando a la Puerta Cerrada y le trujeron ocho libras en una olla porque viniesen calientes y, volcándolos en su presencia en una gran fuente y mucha miel encima, se dio un famoso hartazgo, diciendo no había comido cosa mejor, que ello por ser picarescos.»

El 20 de noviembre de 1657 nace por fin un niño, al que se le impuso el nombre de Felipe Próspero. Gran alegría de Felipe IV, que por fin ve asegurado el puesto de heredero del trono.

Un versificador, muy malo por cierto, dio a luz por su parte los versos siguientes:

> Parió un hijo como el oro,
> lindo a las mil maravillas,
> haciéndose amor astillas
> del alba al alegre lloro.

Eso del lloro debía de llegar al alma del rey, que cuando oyó el llanto fuerte de su hijo dijo:

—Eso sí que me parece bien, que huela la casa a hombre.

Para comprobar la cualidad viril del recién nacido con la publicidad de la misma ceremonia se le tuvo al cristianarse con una túnica cortísima, que le dejaba desnudo de cintura abajo; y como de ello protestase, por achacarlo a irreverencia o descuido, su infantil madrina y hermana, la infanta Margarita, que sólo tenía seis años, la doncella que llevaba el niño le respondió que era uso hacerlo así, para comprobar el sexo masculino del nuevo cristiano.

El príncipe, casi siempre enfermo, con frecuentes ataques de alferecía, murió el 1 de noviembre de 1661, cuando aún no había cumplido cuatro años de edad.

El 21 de diciembre de 1658 doña Mariana dio a luz otro hijo varón, bautizado con los nombres de Fernando Tomás, murió al cumplir seis meses.

El hecho de que los hijos legítimos del rey muriesen prematuramente, mientras los bastardos gozaban de buena salud, se explica por el hecho de la multiplicidad de matrimonios consanguíneos. Se casan primos hermanos, hijos a su vez de otros primos hermanos y una tía con un sobrino o un sobrino con su tía, hijos ambos de parientes próximos. Excepto el casamiento entre dos hermanos, como era preceptivo en el imperio egipcio, todo lo que se puede imaginar en matrimonios consanguíneos se dio en la corte española hasta llegar al 6 de noviembre de 1661, en que la reina dio a luz un hijo que fue llamado Carlos y que el rey confesó que era fruto de la última cópula lograda con su esposa. Lo que había conseguido tras grandes esfuerzos, pues, debido a su vida crapulosa, ya no estaba para ciertos trotes y menos para ciertos galopes.

Mientras tanto la política exterior española sufre un revés tras otro: guerra con Francia, sublevación de Cataluña, guerra de secesión de Portugal, que terminará logrando la independencia, pérdida de Jamaica. La situación se hizo tan insostenible que se hicieron necesarias unas conversaciones de paz que se iniciaron en mayo de 1659. Por fin se llegó a un acuerdo definitivo en el que España perdió ciudades en Flandes, el actual Artois, Luxemburgo y otras plazas importantes y, lo que es peor, España cedía a Francia el Rosellón, el Conflent, el Vallespir y parte de la Cerdaña, regiones todas estas donde aún hoy se oye hablar en catalán.

Como no podía ser menos, esta paz se hizo a base de matrimonio. María Teresa, la hija de Felipe IV, casaría con Luis XIV de Francia, previa renuncia a la corona de España.

La reina Mariana está al margen de todas las conversaciones; a ella sólo le interesa la paz de España con Austria. Por otra parte, nunca se había avenido con su hijastra María Teresa hasta el punto de que pasaban días sin dirigirse la palabra.

El tratado de paz, llamado de los Pirineos, se firma en 1659 en la isla de los Faisanes del Bidasoa, y el 5 de junio de 1660 se celebraba la ceremonia nupcial en Fuenterrabía, por la que se unían en matrimonio la princesa española y el rey francés.

«El rey Felipe IV hizo la reverencia al altar con gravedad incopiable. La infanta le seguía sola, vestida de satén
blanco, bordado con pequeños nudos de plata. Lucía pedrería e iba peinada con peluca postiza. Su camarera
mayor sostenía la cola. El rey no era guapo, pero sí bien
plantado. Acabada la misa, el rey se colocó en su silla y la
infanta tomó asiento sobre un cojín, tras lo cual el obispo
descendió y don Luis de Haro se aproximó, entregando
seguidamente los poderes que le habían sido dados para
representar a Luis XIV en la ceremonia. Un sacerdote leyó
el documento y después la dispensa del Papa. Seguidamente los declaró unidos en matrimonio. El rey estuvo
todo el tiempo entre la infanta y don Luis de Haro. Al dar el
"sí" la infanta volvió la mirada hacia donde se hallaba su
padre, y le hizo una profunda reverencia que pareció darle
fuerzas para contestar... Acabada la ceremonia, la joven
reina se arrodilló ante su padre y le besó la mano...» Al día
siguiente tuvo lugar el acto por el que fue entregada la
infanta María Teresa al rey de Francia. Existe un grabado
contemporáneo que muestra el encuentro en la isla de los
Faisanes de los reyes de España y de Francia con sus
cortes respectivas. Visto a casi cuatrocientos años de distancia, su contemplación nos hace reflexionar. A un lado
se encuentra Felipe IV y sus cortesanos, todos de negro
vestidos y austeramente adornados con algunas condeco-
raciones y veneras. Al otro lado, el rey francés y su corte
emergen entre una ola de puntillas y bordados desmesurados, lazos en los zapatos y profusión de dijes y joyería. Hoy
en día nos parece mucho más elegante la severidad española que la frivolidad francesa. Pero la reunión marcaba la
ya inevitable decadencia de España y el inicio del apogeo
francés.

A la reunión en la que Felipe IV entregaba personalmente su hija al rey de Francia asistía la madre de este
último, Ana de Austria, hermana de don Felipe.

González-Doria narra así el encuentro: «No se habían
vuelto a ver estos hermanos desde 1615, en que aquélla
marchase a ser reina, y éste tomase por esposa a Isabel de
Borbón. El encuentro de ambos cortejos tuvo lugar en la
isla de los Faisanes, en un pabellón que se dispuso sobre el
lugar por el que cruzaba la línea ideal que separaba a las
dos naciones. Se colocaron dos alfombras en el suelo de
aquella tienda, separados ambos tapices por un corto

trecho que no deberían atravesar en ningún momento ni Luis XIV ni Felipe IV; ésta era la teoría protocolaria de quienes prepararon la etiqueta a seguir en el encuentro, pero la realidad fue que cuando la ya reina María Teresa se abrazó a su padre para despedirse de él, rompiendo a llorar, también Luis XIV, en un gesto verdaderamente simpático y emotivo, se echó a los brazos de su tío y suegro, y le abrazó llorando a su vez. Y al regresar a Fuenterrabía diría Felipe IV a los señores de su séquito:

»—Vengo muerto, porque de ver llorar a mi hija, eso allá lo debía; mi hermana también; pero cuando he visto estos dos muchachos pendientes de mi cuello llorar como niños, me he de tal suerte enternecido, que no puedo más...»

Volvamos al príncipe heredero. Cuando nació Felipe IV, vio que era la última oportunidad que tenía para tener un heredero; incesantemente oraba para que el que había de nacer fuese del sexo masculino. Juan Balansó dice que cuando la esposa de Felipe IV estaba en trance de dar a luz, infinidad de reliquias se esparcían sin orden ni concierto en torno a su lecho: tres espinas de la corona de Cristo, varios *lignum crucis,* un diente de san Pedro, un pedazo de manta de la Magdalena, una pluma del ala del arcángel Gabriel y otros muchos curiosos objetos sagrados traídos especialmente de todas las iglesias de la capital para mejor impetrar el favor del cielo.

Lo que no cuenta Balansó, y se puede suponer, son las manipulaciones a que las comadronas y los médicos sometieron a la regia parturienta. Teniendo en cuenta la escasa higiene de la época, lo raro es que incluso los hijos de personas sanas viesen la luz y no muriesen al cabo de poco rato.

La descripción oficial del recién nacido dice que era un niño de facciones hermosísimas, cabeza proporcionada, grandes ojos, aspecto saludable y muy gordito, lo que no concuerda con la descripción que el embajador de Francia hace del príncipe, diciendo que parece bastante débil, muestra signos visibles de degeneración, tiene flemones en las mejillas, la cabeza llena de costras y el cuello le supura. Total, una porquería.

Y la verdad es que la segunda descripción es más veraz que la primera hasta el punto que el rey, avergonzado de su vástago, ordena que no se muestre al niño, y cuando era ello absolutamente necesario, por razones del protocolo cortesano, se le llevaba tan tapado que sólo se le veía un ojo y parte de la ceja.

La realidad llegó al pueblo, que cantaba esta copla:

*El príncipe al parecer,*
*por lo endeble y patiblando,*
*es hijo de contrabando,*
*pues no se puede tener.*

Y la verdad es que tenían razón porque el pequeño Carlos no se sostenía en pie, se le tenía que aguantar con tirantes y a los tres años continuaba mamando en el pecho de una de sus trece nodrizas. Que conste que había otras dieciséis de reserva.

La reina Mariana, cada vez más encerrada en sí misma, no toleraba las infidelidades primero y el envejecimiento después de su marido.

El ya citado Barrionuevo dice: «No hay que sacarla del retiro que se aflige en palacio, donde gasta las mañanas frescas en montería de flores los días, en festines y las noches en farsas. Todo esto incesantemente que no sé cómo no le empalagan tantos placeres.»

Uno de los placeres de los que no se privaba la reina, que dicho sea de paso era virtuosa y jamás se le había supuesto no ya un amante sino un solo acto de coquetería, era la comida. Sería menester copiar diez o doce páginas del libro *El rey se divierte* de José Deleito y Piñuela. Bastará con copiar los dos menús que siguen:

### PRIMERA LISTA DE BANQUETES DE NAVIDAD

Perniles con los principios.
Ollas podridas.
Pavos asados con su salsa.
Pastelillos saboyanos de ternera hojaldrados.
Pichones y torreznos asados.
Platillo de artaletes de aves sobre sopas de natas.
Bollos de vacía.
Perdices asadas, con salsa de limones.
Capirotada con solomo y salchichas y perdices.
Lechones asados con sopas de queso y azúcar y canela.
Hojaldres de masa de levadura con enjundia de puerco.
Pollas asadas.

Frutas: uvas, melones, limas dulces o naranjas, pasas y almendras, orejones, manteca fresca, peras y camuesas, aceitunas y queso, conservas y suplicaciones.

## UNA COMIDA PARA EL MES DE MAYO

Perniles con los principios.
Capones de leche asados.
Ollas de carnero y aves y jamones de tocino.
Pasteles hojaldrados.
Platillos de pollos con habas.
Truchas cocidas.
Gigotes de piernas de carnero.
Torreznos asados y criadillas de carnero.
Cazuelas de natas.
Platillos de artaletes de ternera y lechuga.
Empanadillas de torreznos con masa dulce.
Aves en alfitete frío con huevos mejidos.
Platos de alcachofas con jarretes de tocino.
Frutas: albaricoques, fresas, cerezas, guindas, limas, natas, pasas, almendras, aceitunas, queso, conservas, confites, suplicaciones y requesones.

Parecidas son las listas que recomienda para el mes de setiembre.

Pero, con ser todas considerables, quedan eclipsadas ante lo que propone con el nombre modestísimo de merienda. A su lado, las ollas servidas en las bodas de Camacho *el Rico*, encanto de Sancho Panza, no fueron sino un insignificante piscolabis. Para muestra baste el siguiente botón:

## UNA MERIENDA

Perniles cocidos.
Capones o pavos asados calientes.
Pastelones de ternera y pollos y cañas calientes.
Empanadas calientes.
Pichones y torreznos asados.
Perdices asadas.
Bollos maimones o de vacía.
Empanadas de gazapos en masa dulce.
Lenguas de salchichones y cecinas.
Gigotes de capones sobre sopas de natas.

Tortas de manjar blanco y natas de mazapán.
Hojaldres rellenos.
Salchichones de lechones enteros.
Capones rellenos fríos sobre alfitete frío.
Empanadas de pavos.
Tortillas de huevos y torreznos.
Empanadas de Benaçon.
Cazuelas de pies de puerco con piñones.
Salpicones de vaca y tocino magro.
Empanadas de truchas.
Costradas de limoncillos y huevos mejidos.
Conejos en huerta.
Empanadas de liebres.
Fruta de pestiños.
Truchas cocidas.
Noclos de masa dulce.
Panecillos rellenos de masa de levadura.
Platos de frutas verdes.
Gileas blancas y tintas.
Fruta rellena.
Empanadas de perdices en masa de bollos.
Buñuelos de manjar blanco y frutilla de lo mismo.
Empanadillas de cuajada o ginebradas.
Truchas en escabeche.
Plato de papín tostado con cañas.
Solomos de vaca rellenos.
Cuajada de platos.
Almojabanas.

Añade ensaladas, frutas y conservas, y pareciéndole sin duda poco lo anotado escribe ingenuamente: «Si la merienda fuese un poco tarde, con servir pastelones de ollas podridas pasará por cena.»

Con tamañas comilonas pantagruélicas no es de extrañar los achaques que caían sobre los cortesanos y ricos. Gota y artritismo eran corrientes, y dejemos aparte las indigestiones, que se curaban a base de purgas y sangrías. Claro está que si la indigestión no era tal, sino apendicitis, la purga enviaba al paciente más rápidamente al sepulcro.

A primeros de setiembre de 1665, Felipe IV sufre un desmayo mientras despacha con sus secretarios. Una vez trasladado al lecho, el rey comprende que se acerca su fin. Por su mente pasan años de devaneos amorosos, de abulia política y se da cuenta de que, como hombre, ha sido débil y como rey inepto. Con frecuencia pide perdón a Dios por sus actos y sus omisiones, más grandes éstas que aquéllos. Llama a su hijo y le bendice diciendo:

—Dios quiera, hijo mío, que seas más feliz que yo.

A todos pide perdón y especialmente a la reina. Un testimonio ocular dice: «... su arrepentimiento hizo derramar lágrimas a cuantos se encontraban presentes, incluso a la reina». Este «incluso a la reina» es todo un poema.

Felipe IV, después de haber recibido el viático con devoción, murió el 17 de setiembre de 1665.

La reina Mariana de Austria pasaba a ser regente del reino más extenso y poderoso de la tierra. Tenía treinta y un años de edad y llevaba dieciséis de reinado.

Si Felipe IV pecó por abulia, Mariana pecó por ignorancia. En uno y otro caso, quien sufrió las consecuencias fue España.

El nuevo rey Carlos II contaba cuatro años de edad a la muerte de su padre. Mariana de Austria no hizo nada o no pudo hacer nada para paliar la memez de su hijo. Desde el momento en que quedó viuda vistió tocas de monja y se entregó a obras de devoción. Lo peor del caso es que esta devoción la llevó hasta el gobierno, entregándola en manos de su confesor el jesuita alemán Everardo Nithard, a quien nombra consejero de Estado, inquisidor general y ministro primer secretario del real despacho; es decir, el padre se transforma en el valido de turno.

No se daba cuenta de ello la reina regente, que creía, como es natural, obrar cuerdamente. Hubiera podido apoyarse en Juan José de Austria, el hijo de *la Calderona,* pero el hecho de ser bastardo y una profunda antipatía impidieron que confiase en él. No obstante era más inteligente que el padre Nithard, aunque éste le superaba en conocimientos teológicos y filosóficos y era, además, una buena persona cargada de buena fe, cosa que no era precisamente el bastardo real. Pero el pobre jesuita carecía de todo sentido político.

Dice González Cremona: «La lista de los errores de la regente directamente atribuibles al jesuita es muy larga y no corresponde a este trabajo. Baste decir que bajo su "valimiento" se produjo el ataque de Luis XIV a Flandes y al Franco Condado, firmándose la paz de Aquisgrán, de acuerdo con cuyos términos, para recuperar el Franco

Condado, tuvimos que renunciar a Lille, Tournay, Charleroi y otras plazas.

»Para dar una idea de la situación de nuestros territorios por aquellas desgraciadas fechas, baste decir que, al ser relevado el marqués de Castel-Rodrigo como gobernador en Flandes, no aceptar el cargo don Juan José de Austria y asumirlo el duque de Frías, éste, al llegar, encontró a los soldados españoles mendigando por las calles. Informó a su soberana que no había en el erario público ningún dinero, excepto el que se pudiera acuñar con los trescientos veintinueve lingotes de plata que él mismo había llevado en su equipaje, dinero que emplearía en pagar a los tercios de Flandes...

»El padre Nithard duró cuatro años como valido de la reina Mariana. Quien se quería alzar con el cargo era Juan José de Austria, el bastardo de Felipe IV. Lo único que logró de momento fue la destitución del jesuita, al que se debían una serie de derrotas en los Países Bajos y Franco Condado. Juan José se levantó en Barcelona y sumó a su revuelta las fuerzas de Zaragoza, llegando hasta Torrejón de Ardoz, desde donde envió un ultimátum a la reina, y ésta, después de consultar al Consejo de Castilla y a la Junta de Gobierno, destituyó al padre Nithard, nombrándole embajador extraordinario de España en Roma. Esto sucedía el 27 de febrero de 1669. Dos años después, en enero de 1671, el padre Everardo Nithard moría en Roma, después de haber sido nombrado cardenal.»

Durante unos tres años la reina gobernó sola, pero no era mujer para gobernar, pues no tenía talento ni voluntad para ello.

Por aquel entonces existía en Madrid un hombre muy listo con pocos escrúpulos y muchas ambiciones. Se llamaba Fernando Valenzuela. Mientras vivió Felipe IV le sirvió de ayuda en algún lance amoroso y tal vez también en alguno político. Cuando Mariana de Austria le llamó a su vera tenía cuarenta años y era hombre de buen aspecto, rostro simpático, chispeante en el decir, con nociones de poesía y de música y muy hábil en la equitación.

Este hombre empezó por recoger todas las murmuraciones y secretillos de la corte para explicarlos a la reina regente. Por ello se le llamaba «el duende de palacio». Primeramente la reina le nombró caballero de Santiago, más tarde introductor de embajadores y primer caballerizo. Las puertas de palacio estaban abiertas para él a cualquier hora del día y de la noche, lo cual dio lugar a una serie de murmuraciones sobre las relaciones entre la reina y Valenzuela, atreviéndose algunos a decir que sus relaciones eran más íntimas de lo que la honestidad permitía, hasta el punto de que el cardenal Pascual de Aragón creyó «deber de conciencia advertir a la reina los peligros con que aquella privanza amenazaba no ya su autoridad sino a su decoro».

Inventó el valido una serie de impuestos que en algunos casos llegó a la simonía, vendiendo beneficios eclesiásticos al mejor postor. Se apoderó entre otras de la renta del tabaco, de reciente creación, y, aunque el vicio no había llegado a tener la extensión de hoy en día, la medida fue muy impopular por difundirse cada vez más el consumo del rapé o tabaco en polvo.

Se estaba acercando el día en que Carlos II debía ser proclamado mayor de edad, y tanto la reina regente como Valenzuela temían que, dado el retraso corporal e intelectual del nuevo rey, se le nombrase un curador y que éste fuese Juan José de Austria.

Para ello se le nombró virrey de Nápoles, pero don Juan en vez de emprender el viaje hacia su nuevo destino se quedó en España.

La nobleza estaba descontenta tanto de la reina como del valido y llamaron en su auxilio al preceptor y al confesor del rey. Por consejo de éstos, Carlos II declara que el mismo día de su cumpleaños, 6 de noviembre de 1655, asumiría el poder, mandaría prender al favorito y exigirle cuentas.

Dos días antes del cumpleaños, la reina quiso que su hijo firmase un documento por el que se declaraba incapaz de ejercer por sí solo y prorrogaba por dos años más la regencia. Por primera vez en su vida, Carlos II desobedeció a su madre y se negó a firmar el papel.

El verano de 1676, durante una cacería en El Escorial, Valenzuela fue herido casualmente por el rey, que en el mismo campo le mandó que se cubriese, elevándole así a grande de España, dignidad que unió al título de marqués de Villasierra, que le había dado la reina Mariana.

Pero Juan José de Austria preparaba en Zaragoza un levantamiento contra Valenzuela. Con sus tropas, el bastardo se dirigió hacia Madrid, donde entró el 23 de enero de 1677, mientras Valenzuela se refugiaba en El Escorial, de donde fue sacado violentamente para ser juzgado. Se le acusó de haberse apoderado de cien millones de reales, pero cuando se hizo el inventario de sus bienes se vio que sólo sumaban diez millones.

En el juicio que se le siguió se pidió para Fernando Valenzuela la pena de muerte y confiscación de bienes, pero la jurisdicción eclesiástica invocó el derecho de asilo que había sido quebrantado al detenerle en El Escorial y consiguió que se le desterrase a Filipinas. La esposa de Valenzuela fue tratada cruelmente y desterrada a Toledo, desde donde se trasladó a Talavera de la Reina, donde murió loca.

Por su parte, Valenzuela se trasladó a México, donde vivía modestamente, cuidando caballos, uno de los cuales le mató de una coz.

Juan José de Austria, por su parte, se hizo cargo del gobierno durante cerca de tres años, hasta el día de su muerte el 17 de setiembre de 1679.

Este Juan José de Austria era hombre ambicioso. Cuando vivía Felipe IV hizo todo lo posible para alcanzar el título de infante. Como dice Pedro Aguado Bleye en el *Diccionario de la historia de España*: «La ambición de don Juan fue mucho más allá: concibió el extraño pensamiento de casarse con la infanta Margarita, hija de Felipe IV y de doña Mariana de Austria, que tenía por entonces catorce años, y tuvo la estupenda audacia de dárselo a entender al rey. Como la salud del heredero, el príncipe Carlos, no podía ser más precaria, semejante matrimonio representaría para don Juan el camino de alcanzar la corona de España. Las cosas ocurrieron así. Durante la primavera de 1665 la corte estaba, como de costumbre, en Aranjuez. Don Juan, como prior de San Juan, estaba cerca en Ocaña, y pidió a su padre y rey la venia para ir a saludarle. El rey accedió. Dos veces visitó don Juan, que tenía treinta y seis años a su padre, que andaba por los sesenta, y en las dos audiencias le ofreció regalos. El presente de la segunda fue una miniatura que dijo haber pintado. Representaba en ella al anciano Saturno sonriendo complaciente ante los incestuosos amores de Júpiter y Juno. En los rostros de estas divinidades se reconocían fácilmente las facciones del rey, de don Juan y de la infanta Margarita. Felipe IV, a ratos poeta y buen conocedor de la mitología clásica, como todos los de su tiempo, no tardó en interpretar la escena y descubrir la pretensión monstruosa de su hijo bastardo, al que volvió la espalda y no quiso ver más en toda su vida. Sin embargo, en su testamento recomendaba a su sucesor y a la reina que le amparasen y favorecieran y se sirvieran de él como cosa suya.»

El mismo año en que moría Juan José de Austria se casaba Carlos II.

La reina Mariana de Austria vivió los dos casamientos de su hijo y no se avino con ninguna de sus dos nueras.

Murió de cáncer de pecho en el 16 de mayo de 1696 entre atroces sufrimientos, soportados cristianamente. Está enterrada en El Escorial, en el panteón de Reyes.

# María Luisa de Orleans

*París, 1662 — Madrid, 1689*

En todas las cortes de Europa se conocía la endeblez física y mental de Carlos II. Desde que nació se estaba esperando de un momento a otro la noticia de su fallecimiento. Pero el rey, llevando la contraria a todo el mundo, pasó la infancia a trancas y barrancas y entró en la adolescencia débil, enclenque, escuchimizado, pero vivo. Tan vivo que en las cortes europeas en las que se esperaba su muerte se empezó a hablar de boda.

Si todas las bodas reales eran por razón de Estado, más lo es en este caso en que de la boda se espera o se desconfía de la sucesión. El rey Carlos II era producto de una degeneración familiar y se suponía que no podía tener hijos.

La corte francesa era la más interesada en el asunto por su inmediata vinculación en la familia real, ya que don Carlos es cuñado y primo hermano de Luis XIV de Francia, que estaba siempre preparado a unir a la suya la corona de España, en nombre de su esposa doña María Teresa, hermana mayor de Carlos II.

Al ver que el rey español anuncia sus deseos de casarse, propone a la princesa María Luisa de Orleans, sobrina suya como hija de Felipe de Francia, duque de Orleans, casado con su prima hermana, la princesa Enriqueta de Inglaterra.

Este matrimonio era un tanto pintoresco: Felipe tenía aficiones un algo raras, hoy no lo serían tanto, pero ser *gay* en aquella época chocaba bastante.

Fue obligado a casarse, pero no por ello abandonó a su amante Armand de Gramont, conde de Guiche, del que se dice que el día del matrimonio recibió un anillo de boda igual al de la princesa Enriqueta.

De este extraño matrimonio nace la princesa María Luisa, y el padre, para celebrarlo, cambia de amante, que en esta ocasión es Felipe de Lorena. Cogiditos de la mano con pendientes, pelucas y fuertemente maquillados se los ve pasear por Versalles, y una noche en un baile de gala el hermano del rey vestido de mujer baila un minueto con su amante.

La princesa Enriqueta por su parte grita, se desespera, insulta, llora y organiza grandes peleas domésticas. Y como ello no es suficiente, se convierte en la amante del rey. Así, amante, primo hermano y cuñado son una misma persona.

A pesar del ambiente familiar, María Luisa de Orleans era muchacha muy sensata y muy buena según aseguraba el embajador francés. Juan Balansó dice que María Luisa era en 1679 la princesa más linda de Europa. Eso no quiere decir que fuese una gran belleza, sino que las restantes princesas en edad de merecer eran terriblemente feas. Parece que había estado enamoriscada de su primo el delfín y que éste más o menos le correspondía, pero si hubo amor éste no pasó de unas miradas.

Pero en la corte de Madrid se había recibido en el interín una petición de mano curiosa, pues generalmente quien hace la petición es el hombre o sus representantes, y en este caso era al revés. El emperador de Austria mandó a doña Mariana una carta en la que se leía: «El señor emperador Carlos V y los señores reyes Felipe II, III y IV, de gloriosa memoria, han tenido siempre la máxima de casar sus majestades a sus hijos con princesas de la casa de Austria y dar también las infantas sus hijas a los señores emperadores. Y sus majestades cesáreas han imitado en todos tiempos el mismo dictamen, y de esto han resultado continuadamente por ambas partes una suma satisfacción a los príncipes y consuelo a sus reinos y vasallos. Y aunque la tierna edad de la princesa puede estorbar la ejecución del matrimonio no se debe atrasar el ajustarle y publicarle.»

La ofrecida novia contaba seis años de edad.

El ofrecimiento no fue aceptado y, en cambio, se solicitó del rey francés el enlace con María Luisa de Orleans. Luis XIV no creía en las posibilidades físicas de Carlos II para engendrar, pero quería tener una pieza en el ajedrez español para consolidar la influencia francesa en Madrid, en vista de que, a la posible muerte de Carlos II sin descendencia, el trono revirtiera a los Borbones.

Jerónimo de Moragas en su libro *De Carlos I emperador a Carlos II «el Hechizado»* dice de María Luisa: «Conceptuábanla todos como princesa de singulares prendas. Había sido educada bajo la dirección de la famosa pedagoga madame De Rouxel, la cual consiguió que María Luisa dominara sus frecuentes accesos de impaciencia, que pudiera hablar de todo sin profundizar en nada, y que aprendiera a tocar el clavicordio. Ser paciente resultaba condición indispensable para convertirse en esposa del consentido y regalado Carlos; el clavicordio resultó una válvula de escape insuficiente para paliar el tedio de la vida en Madrid, y lo de saber hablar de todo quizá le hubiera prestado un buen servicio en la corte de Felipe IV, pero no en la de su hijo, donde no se hablaba de nada.»

La reina Mariana se opone a esta alianza con la casa de Borbón, pero Carlos II, que ha recibido un retrato de su futura esposa, está ilusionado con ella y desobedece a su madre. El rey tiene dieciocho años y empezaba a sentir los aguijonazos de la carne. Pero no dejará nunca de ser un niño. Por su parte la princesa se disgustó al saber el marido que le destinaban y amenazó con escapar y retirarse a un convento. Meras palabras que no convencieron a nadie y no tuvieron ningún resultado.

El 31 de agosto de 1679 se celebra en Fontainebleau la boda de Carlos II con la princesa María Luisa de Orleans. El príncipe de Conti representa al rey de España y la princesa fue llevada al altar por el delfín de Francia, de quien se dice que estaba enamorada. Asisten a la ceremonia el rey francés y su esposa quienes en este momento pasan a ser cuñados de su sobrina carnal.

La comitiva que traslada a la nueva reina de España está constituida por nobles españoles y franceses; entre los primeros está el marqués de Balbases, gran señor que asombró a la corte francesa por su prodigalidad, dando por ejemplo una fiesta que le costó diez mil ducados, al final de la cual repartió cien mil reales entre los antiguos servidores de María Luisa. Entre los guardias franceses, un joven oficial, el caballero de Saint-Chamans, quien dice que se enamoró de la reina, quien probablemente ni se enteró de ello. Pero al regresar a París, Saint-Chamans hace gala de su enamoramiento.

Para el traslado de la nueva reina no había en España dinero para construir un coche, una litera y una silla de manos lo suficientemente ricos como para trasladar a una soberana. La solución la encuentra el duque de Alba diciendo que se le libren de Nápoles treinta mil reales de a ocho, que es lo que calcula que podría costar lo necesario.

Cuando la nueva reina entra en España su camarera mayor le explica sus deberes como reina y la etiqueta de la corte española: no le está permitido, por ejemplo, dejarse ver de todo el mundo; cuando viaje lo ha de hacer oculta en el coche de forma que no se le pueda ver sola o acompañada únicamente de su camarera mayor, la duquesa de Terranova; no puede comer en público, etc. María Luisa está acostumbrada a la etiqueta francesa, mucho más libre; por ello hace pedir a don Carlos que no se cumplan tales exigencias y el rey accede sin vacilar.

La misa de velaciones debe celebrarse en Quintanapalla, una aldea cercana a Burgos; se tenía que celebrar el 19 de noviembre de 1679, pero el día anterior, en cuanto Carlos II vio a quien ya era su esposa, dijo:

—Tenemos que celebrar las velaciones mañana, pero lo haremos en seguida.

Dice Balansó: «Aunque no entendía el castellano, María Luisa adivinó en tamaña precipitación algo incorrecto, y se sonrojó. Sus damas la acompañaron hasta las habitaciones que se le habían designado en la morada del más rico labrador del lugar y le entregaron el vestido nupcial. Apenas había terminado de ponérselo cuando entró Carlos con la evidente intención de quitárselo, loco de impaciencia.»

He aquí una referencia de la ceremonia: «Su majestad toma a su alteza galantemente de la mano y la conduce a la sala habilitada para capilla. Sentados ambos se miran, sin posibilidad de entablar diálogo, pues no conocen más que sus lenguas respectivas, cuando, aproximándose, se ofrece obsequioso el embajador francés a servir de intérprete... Terminada la ceremonia religiosa, almuerzan solos sus majestades, regresan a Burgos, sin admitir a nadie en su coche y se encierran prestamente en sus aposentos.»

Al día siguiente, domingo, los monarcas salen para oír misa en el monasterio de las Huelgas y, tras un ligero refrigerio, retornan a su alcoba. Los cortesanos, ávidos de adivinar lo ocurrido, escrutaban sin rebozo el rostro de la pareja. El embajador inglés escribió: «Lo increíble parece haber sucedido.» Al recibir tales noticias, las cancillerías europeas se alarmaron. ¿Conseguiría el monarca español, a fin de cuentas, aquella sucesión juzgada poco menos que imposible?

Falsa alarma en verdad. Ilusionado como un niño, pues al fin y al cabo su mentalidad era infantil, había mandado retirar uno de los dos lechos que había en su cámara, pero al cabo de un año de matrimonio persistía aún la virginidad de la reina. Como se decía entonces, el rey Carlos II «tenía constipadas las partes».

El rey era una birria de hombre; el embajador francés lo describe así: «Cumplió los dieciocho años el pasado mes de noviembre de 1679. Es de estatura menos que media, bastante menudo y da la impresión de que es algo paticojo, tal vez por una costumbre de andar mal. Como nadie se preocupó cuando el rey era más joven de otra cosa que hacer que viviera, sin pensar en su educación, no sabe hacer ningún ejercicio y no tiene ni el menor conocimiento de ciencias ni de letras; a duras penas sabe leer y escribir. Su rostro es extraordinariamente alargado, estrecho y delgado, con rasgos desmesurados que le dan una fisonomía pintoresca.»

María Luisa no encontraba satisfacción ni en la cama ni fuera de ella. Si las noches eran insípidas, los días eran aburridísimos. Se había traído de Francia un loro al que quería mucho, pero la etiqueta palaciega española no estaba prevista para la tenencia de cotorras y mucho menos un animal que cada vez que la duquesa de Terranova, camarera mayor, entraba en la habitación lanzaba a grito pelado la palabra «gorrrrda». Un día la duquesa perdió los estribos y, agarrando al pajarraco, le retorció el pescuezo. Llorosa la reina, fue a quejarse a su real esposo no sin antes haber propinado una fuerte y sonora bofetada a la duquesa. Para evitar mayores males el rey sustituyó a la duquesa de Terranova por la duquesa viuda de Alburquerque, de mejor carácter que su antecesora y que permitía a la reina pasear por palacio, mirar por las ventanas entreabiertas y recoger fruta en las huertas del Buen Retiro. Y no se crea que esto sentó bien en la corte. Tales frivolidades se explicaban por el hecho de ser francesa, y ya se sabe que en Francia...

A todo esto pasaban los meses y la reina arrastraba su virginidad a cuestas con las consiguientes hablillas por parte de los cortesanos y del pueblo llano, al que llegaban, cómo no, las murmuraciones de palacio.

Pero un día o una noche el milagro se cumplió. El rey anunció que había consumado el matrimonio y se permitió bromas sobre el hecho, dando detalles del mismo como si fuese una gran proeza.

Pero el heredero no llegaba. Se culpaba de ello ahora a María Luisa, culpándola de estéril, pues en aquella época no se concebía la esterilidad masculina si se producía la erección. Por ello los médicos del reino recetaron a la reina mil brebajes, sahumerios, potingues, emplastos y naturalmente sangrías y purgas, pero nada de ello dio resultado. Se probó entonces el remedio sobrenatural y llovieron las estampas, rosarios, novenas, trisagios y reliquias. Pero con muy buen sentido la reina decía a su amiga la embajadora de Francia:

—¿Creéis verdaderamente que esto es cuestión de rogativas?

A la reina le gustaba mucho la equitación, pero un día en que con varias damas cabalgaba por los alrededores de El Escorial una de ellas tuvo la desgracia de caer del caballo desnucándose y muriendo en el acto. A raíz de este suceso se le prohibió a la reina la práctica del deporte que tanto le gustaba.

La reina se aburre; siguiendo la tradición de la casa real española visita conventos, cosa que le fastidia. En palacio se representan obras teatrales, pero aunque habla el castellano con cierta soltura, se le escapan palabras y frases enteras de Calderón de la Barca u otros autores del momento. Es mujer de buenos sentimientos, y el dinero que otras soberanas empleaban en fundar conventos o en dotar novicias ella lo emplea en obras de caridad, ayudando a los pobres de Madrid, villa que, de incógnito, procura recorrer, cosa que está muy mal vista por las damas de la corte.

El embajador francés Villars escribía a París: «Esta princesa, joven, bella, rebosante de ingenio y de vivacidad, estaba, por su edad y por su genio, poco dispuesta a aceptar las miras y la aplicación que su conducta exigía. Su inclinación al placer y a la libertad, los recuerdos de Francia y de todo lo que allí había dejado, hacían que España le resultara insoportable. La cautividad en palacio, el aburrimiento de una ociosidad sin diversiones, los modales vulgares y groseros del rey, la desazón de su carácter, su humor brusco (que ella a menudo hacía peor con su escasa complacencia), alimentaban la aversión y la pesadumbre de la reina. No se interesaba por nada, no quería tomar medida alguna ni para el presente ni para el futuro, y, renunciando a todo lo que podía poseer en España, sólo se consolaba imaginando su regreso a Francia.»

Poco después el diplomático francés que había sustituido a Villars recibe una confidencia por parte de la reina: «La reina me dijo hoy que tenía deseos de confiarme algo que jamás había querido decir a nadie, a saber: que ya no era realmente doncella, pero que, por lo que se imaginaba, creía que nunca tendría hijos. Su modestia le impidió explicarme más detalles y el respeto me vedó a mí hacer preguntas; mas, por lo que dijo, intuí que había un defecto atribuido a demasiada vivacidad por parte del rey, que impedía que la cópula fuese perfecta, no habiendo logrado simultanear ambos sus efusiones.»

El pueblo, mientras tanto, canta una coplilla:

> *Parid, bella flor de lis,*
> *que en aflicción tan extraña,*
> *si parís, parís a España,*
> *si no parís, a París.*

Supongo que esto es lo que hubiera deseado la reina, volver a París.

González-Doria explica en forma inimitable un asunto curioso y deleznable:

«El cerco de intrigas y murmuraciones que se teje en torno a María Luisa de Orleans se va estrechando, motivado cada vez más por la desazón de los súbditos al ver que pasa el tiempo y no hay ni sospecha de embarazo. Tan grande era en España el prestigio mítico de sus reyes, que los españoles estaban mejor dispuestos a creer cualquier calumnia de sus reinas que a admitir que uno solo de sus monarcas no fuese capaz de procrear. Y la calumnia no tarda en hacer su aparición. Se llega a murmurar que la reina no deseaba tener hijos con Carlos II, e intencionadamente malogra sus procreaciones, por estar enamorada de aquel apuesto oficial francés, Saint-Chamans, que tan devotamente la sirvió en las lentas jornadas que se siguieron de París a Irún en el otoño de 1679. Alguien, posiblemente una mano que pertenece a la misma persona que se ha atrevido a pronunciar al oído del rey aquellas dos palabras, "anulación matrimonial", ha fingido torpemente la caligrafía de María Luisa, confeccionando dos cartas que se hacen llegar a aquel presuntuoso oficial que ha publicado con absoluta falta de decoro y dignidad por todo París que está enamorado de la reina de España. Ya podemos figurarnos la traza de ambas cartas: nada menos que un ofrecimiento de estar dispuesta a corresponder a esa pasión que le dicen ha despertado en el oficial; y este fatuo personaje, al recibir semejantes misivas, cree que va a convertirse en realidad su pretensión, y sin tomar para su propia tranquilidad garantía alguna de si las cartas pertenecen realmente a la regia persona cuyo nombre figura en la firma, hace alarde de ellas, enseñándolas por París, con lo que inmediatamente tiene conocimiento del hecho Luis XIV, quien, comprendiendo la gravedad del asunto, y, lo que es peor, creyendo que efectivamente puede haber dado un mal paso su sobrina y cuñada, le escribe tan dura recriminación, que la reina de España cae enferma de la impresión; se deshace en lágrimas, y revistiéndose al fin de gran entereza y dignidad contesta al monarca francés con una carta en la que le dice entre otras cosas:

»"... Vuestra majestad cree de mí cosa que me hace temblar con sólo imaginarla, y si vuestra majestad me conociese bien, me trataría con mayor justicia de la que hoy me hace, ya que soy tan celosa de mi gloria, y la amo tanto que jamás haré nada que pueda empañarla. Yo os pido la gracia de que salgáis del error acerca de los informes que sobre mí se os han presentado, ya que se trata de una de las mayores y más espantosas iniquidades que imaginarse puedan..."»

Realmente la reina María Luisa era inocente totalmente de todo lo que se le atribuía. Incluso era inocente de su pretendida esterilidad, pues el responsable de ella era el rey, que en las pocas veces que conseguía una erección eyaculaba precozmente.

Al no poder cumplir con el deber de proporcionar un heredero al trono, se habló de la posibilidad de anular el matrimonio, pero Carlos II no dio oído a tal proposición, como no lo había dado a las insinuaciones de su enamoramiento con Saint-Chamans.

Lo curioso es que la reina teme ser envenenada y, a pesar de ello, no deja de tomar los brebajes que los médicos de la corte y varios curanderos le hacían tomar para que quedase embarazada.

Este temor dio lugar a que a su muerte corriese el rumor de que había sido envenenada para así poder casar de nuevo al rey con mujer fecunda.

El 8 de febrero de 1689 fue a cabalgar por los bosques del Pardo, y a su regreso se encontró mal. Al día siguiente no se levantó y tuvo fiebre, vómitos y diarrea. Los médicos dictaminaron cólera morbo; en realidad un desarreglo intestinal producido por los mejunjes y brebajes que le propinaban los médicos de cámara. De ello se sucedió una apendicitis que con las purgas que le administraron se convirtió en peritonitis.

Los médicos se reconocieron impotentes para salvar a la enferma, y don Carlos hace que le instalen un sillón en la cabecera del lecho. Ella misma pidió el viático y pidió perdón a todos los presentes, entre los que figuraba la duquesa de Terranova. El rey reza por ella y la reina le dice:

—¿Para qué quiero la salud si no puedo seros de utilidad a vos y al reino?

Murió a las nueve de la mañana del 12 de febrero. Aún no había cumplido los veintisiete años.

El embajador francés pidió que se hiciese la autopsia a la reina en presencia de cirujanos de su confianza para comprobar que no había sido envenenada. La respuesta fue entregar los pasaportes al embajador francés y expulsarle del reino.

Diez días después de la muerte de la reina, Carlos II recibió un escrito del Consejo de Estado pidiéndole que contrajese nuevo matrimonio con la esperanza de que Dios le dé un heredero.

# Mariana de Neoburgo

*Düsseldorf, 1667 — Guadalajara, 1740*

Una vez que se hubo decidido el nuevo matrimonio de Carlos II empezó el baileteo de candidatas al trono español. Y ello a pesar de que ya se sabía fehacientemente que el rey español era impotente.

Dos candidatas fueron elegidas en último lugar: las dos se llamaban Mariana. Una era Mariana de Médicis y otra Mariana de Neoburgo. Naturalmente hubo el consabido envío de retratos, ante los que Carlos II dictaminó:

—La de Toscana no es muy fea y la de Neoburgo tampoco parece que lo sea.

Ante la duda, un elemento decanta la elección del lado de Mariana de Neoburgo: el hecho de que tenía veintitrés hermanos, lo que demostraba que su madre era muy fecunda y lógicamente ella también podía serlo.

Sólo la esperanza de tener hijos, esperanza que únicamente él tenía, hizo que Carlos II contrajese matrimonio por segunda vez. Había estado viudo durante seis meses.

La ceremonia nupcial tiene lugar en Neoburgo el 28 de agosto de 1689; se da la casualidad de que el matrimonio ha sido bendecido por el hermano de la nueva reina de España, llamado Alejandro, que celebró aquel día su primera misa.

Del 28 de agosto de 1689 al 27 de enero de 1690 lo emplea la nueva reina en salir de Neoburgo y llegar a la costa holandesa, pasando por Colonia. Dos meses más tarde la travesía desde Holanda a El Ferrol, pero no desciende a tierra hasta el 6 de abril y es recibida por la nobleza y por su nueva camarera mayor, la condesa de Paredes. En total el viaje había durado siete meses.

De El Ferrol se trasladó a Valladolid, donde la esperaba Carlos II y donde tuvo lugar la misa de velaciones el 4 de mayo. Carlos II no tuvo esta vez la misma ansiedad que demostró con su primera esposa. Por otro lado, la pareja era risible: él pequeño, enclenque, raquítico, enfermizo, con voz débil y atiplada, pelo lacio de color aceituna, ojos linfáticos y saltones y el mirar apagado. Ella robusta, alta, opulenta de busto, gordinflona, pelo rojizo, rostro pecoso, ojos saltones y nariz larga. En realidad no era una pareja como para encandilar a nadie.

El día 4 de mayo llovía torrencialmente, lo que se consideró de mal agüero para el matrimonio. Carlos y Mariana asistieron a un tedeum y se retiraron a sus aposentos. Se supone que no pasó nada digno de mencionar.

Los seis días que permaneció el rey en Valladolid fueron amenizados por la lluvia, que caía a cubos y que continuó durante el viaje desde la capital castellana a Madrid.

A los pocos meses la reina, que no era tonta y sabía para qué se había casado con la birria de su marido, fingió estar embarazada. El primer extrañado debió de ser el rey. Pero cuando la farsa está a punto de descubrirse, finge esta vez un aborto, ayudada para ello por su médico particular, alemán como ella.

La consternación de Carlos II fue enorme; después de la primera sorpresa, se había hecho a la idea de que por fin podía tener descendencia. Su esposa repetirá la broma once veces más; es decir, cada vez que vio que su marido se apartaba de ella o de sus intereses.

Porque doña Mariana tenía un sentido de los negocios bastante grande. La ayudaban en ello la baronesa de Berlips, llamada por los madrileños *«baronesa de Perdiz»*, y un aventurero llamado Enrique Wisser y conocido con el sobrenombre de *el Cojo,* porque lo era. El dinero que sacaba de sus negocios lo empleaba en parte para enviar dinero a su familia, por lo que decía un embajador que la reina «tiene el pelo rojo, se llena de pecas en el verano, es gorda y alta como un gigante y en la monarquía española no hay dinero bastante para sostener a todos sus hermanos».

Por ejemplo vendió el cargo de secretario de Estado a don Juan de Angulo, el rey embobado, puesto que era el tiempo de uno de sus fingidos embarazos, firmó el nombramiento y la reina se embolsó siete mil doblones de oro que, descontada la comisión para sus cómplices, fueron enviados a Neoburgo.

Don Juan de Angulo se unió a la camarilla de *la Perdiz*

y *el Cojo,* aumentada por un soprano llamado Mateucci, italiano conocido con el nombre de *el Capón* porque estaba castrado.

González-Doria escribe: «Dice un autor de nuestros días que "...casi todas las figuras históricas tienen sus defensores y sus detractores; Mariana de Neoburgo constituye una excepción: sólo tiene detractores". Y añade el mismo autor: «María Luisa de Orleans se había conformado con su suerte. Mariana, desde el primer momento, comprendió que la carga era demasiado pesada. De ahí sus escenas conyugales tormentosas, sus gritos e insultos, su total despego hacia aquel pobre enfermo con el que tenía que compartir su cuerpo; algo que la repelía y que la convirtió en una mujer de comprensible frialdad, entregada por completo a su ambición y codicia, abocada a la intriga política como una válvula de escape para sus frustraciones femeninas.» El autor de nuestros días que cita González-Doria es Juan Balansó.

Para conocer mejor la figura de Mariana de Neoburgo, he aquí lo que dice Antonio Cánovas del Castillo: «... era soberbia, imperiosa, altiva, la capacidad moderada, el antojo sin moderación ni límite, la ambición de atesorar grande, no menor la de tener parte en el manejo del gobierno, así en las resoluciones arduas como en la provisión de mercedes, cargos y honores. Llevaba con tal impaciencia cualquier cosa que se opusiese a su voluntad, que hasta con el rey prorrumpía en desabrimientos muy pesados y en injurias, que Carlos, flaco y enfermo, sufría con tolerancia por no saber con vigor excusarlo, haciendo lo que ella quería muchas veces, aunque repugnara a su entendimiento.»

Y siguiendo con las citas, antes de empezar con la historia de los hechizos copiemos lo que el doctor Jerónimo de Moragas dice del rey. Por ser un análisis médico explicará con seriedad lo que era aquella piltrafa humana que se llamó Carlos II *el Hechizado.*

El barón de Harrach, embajador de Leopoldo[1] en Madrid, y el marqués de Harcourt, que lo era de Luis XIV, escribieron cartas y más cartas a sus soberanos —tan interesados en la muerte de Carlos— en las que, con una minuciosidad ridícula e impertinente, los informaban del

1. Emperador de Austria.

número de deposiciones y vómitos que su majestad católica había tenido día por día. Procuraré, al resumir la vida enferma del pequeño rey, no ser tan molesto y coprofílico como el barón y el marqués.

Desde muy pequeño tuvo ya don Carlos desarreglos intestinales que —mejorando a pequeños intervalos— le duraron toda la vida, agravándose cuando su creciente prognatismo le dificultó cada vez más la masticación.

Sufrió retardo motor y tuvo aquella cabezota que se ha atribuido a una posible hidrocefalia y que, muy probablemente, no pasaba de ser un fenómeno de su inevitable raquitismo.

A los seis años tuvo el sarampión y la varicela; a los ocho, a consecuencia de un catarro —que pareció leve—, presentó unas hematurias que se repitieron en otras ocasiones y que quizá deban ser enlazadas con el final de enfermo renal que tuvo.

A los diez años pasó la rubéola, y a los once sufrió la viruela, que estuvo muy cerca de llevárselo al otro mundo.

A los treinta y dos años, después de sus múltiples afecciones, perdió el pelo, lo que quedaba disimulado debajo de la peluca que ya usaba y que no quiso empolvar nunca para no parecerse al rey francés.

A los treinta y cinco años —si no antes— comenzaron sus accesos palúdicos, que ya fueron tratados con quina, pero que la congénita decrepitud fueron agotando sus fuerzas y su vida hasta el punto de que a los treinta y seis años ya era un valetudinario, flaco, descolorido y sumido en una melancolía permanente.

Y a todo esto se sumaban sus médicos, que le purgaban, le sangraban y, usando medicamentos como los polvos de víbora, le nutrían con pollos alimentados a su vez con los mismos polvos.

Durante su última enfermedad, reunido todo el protomedicato local, se acordó colocarle pichones recién muertos sobre la cabeza y entrañas calientes de cordero sobre el abdomen.

Con lo único que acertaron fue con la quina, que ya comenzaba a ser conocida. El doctor Cristian Geleen —médico de los Neoburgo, que se hallaba en Madrid para cuidar de la salud de Mariana— aseguraba que los médicos españoles no usaban la quina de la manera debida, y que muchos de los males del rey provenían de que bebía poco vino, detalle que puede servirnos para comprender que este gran doctor era por lo menos tan pedantote como sus colegas indígenas.

Cuando Carlos tenía ya treinta y ocho años comenzó a acusar hinchazones en los pies, luego en las piernas y más tarde en las manos y la cara. A esta hinchazón, los embajadores, en sus cartas, añadían otra de la lengua, que se le producía de vez en cuando, dificultándole la palabra.

Pero aquella hinchazón de la lengua había comenzado ya un año antes de que principiaran sus edemas. Y es que Carlos, desde hacía mucho tiempo, sentía a veces unas congojas que terminaban en desmayos. Aquellos desmayos se hicieron más largos y más frecuentes —posiblemente sólo eran desmayos para unos palaciegos obligados a decir mentiras—. Alrededor de los treinta y siete años, sus desmayos son tan largos que duran a veces más de dos horas y se acompañan de unas sacudidas bruscas de los brazos y de las piernas y de unos movimientos de los ojos y de la boca hacia un mismo lado.

Y en este tiempo comenzó a hinchársele la lengua hasta dificultarle la palabra. Y es que el pequeño rey, como su difunto hermano Felipe Próspero, como quizá su hermana María Ambrosia, era un epiléptico, con grandes ataques hacia el final de su vida, durante los cuales, como ocurre a tantos epilépticos, se mordía la lengua.

Y quién sabe si aquellas cóleras que tenía tan frecuentemente —sin ton ni son cuando era niño, tan fundamentadas algunas veces cuando ya era un hombre casado— no eran un fenómeno más de aquella epilepsia, como quizá también lo era aquel mirar vacío perdido de sus ojos inexpresivos.

Larga ha sido la cita, pero valía la pena ver con ojos de hoy el historial clínico del monarca. Los médicos de aquel entonces, incapaces de confesar su ignorancia, no vacilaron en atribuir todos los males a los hechizos. Carlos II era impotente, pero su orgullo de hombre y de rey le impedía aceptar lo que tan a la vista estaba. Acepta que está hechizado y desde aquel momento se inicia una serie de actos patéticos que serían risibles si no fuesen lastimosamente ciertos.

El palacio real se llena de frailes, exorcistas y curanderos; por medio de una monja endemoniada se consigue que Belcebú hable claro al mismísimo inquisidor general del Santo Oficio:

—El rey está hechizado desde los catorce años —declara el diablo—, y por esta causa es incapaz de engendrar descendencia.

—¿En qué forma se administró el hechizo a su majestad? —pregunta el sacerdote.

—Diluido en una jícara de chocolate.

—¿Con qué se había confeccionado el filtro maligno?

—De los sesos y riñones de un hombre ajusticiado; para quitarle el numen y el semen.

—¿Qué persona se lo hizo beber?

—Una mujer que ya está juzgada.

¿Se refería el diablo, tal vez, a doña Mariana de Austria?

—¿Con qué fin?

—Con el de reinar.

Ya no cabía duda. ¡Y pensar que la quisieron hacer santa!

—¿Qué remedios hay para salvarle de ti, espíritu infernal?

—Darle aceite bendito en ayunas, ponerle luego una lavativa y apartarle del lecho de la reina durante dieciocho días.

Dicho lo cual, el educado y amable diablo se calló y la extática monja no pudo continuar traduciendo mensajes de ultratumba.[2]

Ya durante el reinado de Felipe IV se había hablado varias veces de manejos de magia negra que alteraban la salud del monarca y en una oportunidad se llegó a quemar en la iglesia de Atocha un librillo en el que la efigie del rey se encontraba atravesada por alfileres. También a comienzos de su reinado se procesó a un tal Jerónimo de Liébano, acusado de haber pretendido hechizar al monarca[3] y a su valido (Olivares), mediante el entierro de un cofre donde se guardaban imágenes de cera y retratos de los "ligados". Y era más usual de lo que pueda pensarse que altos personajes de la corte recurriesen a las malas artes de las brujas para lograr favores reales.

Pero esta costumbre no era una exclusividad hispana: Maximiliano de Baviera sometió a exorcismos a su primera mujer, Isabel Renata de Lorena, porque no le daba herederos. El duque Johan Wilhelm de Jülidi-Kleve-Berg,

2. Véase Juan Balansó (Bibliografía)
3. Felipe IV.

esquizofrénico crónico y cuñado de Felipe Luis de Neoburgo, también fue exorcizado. En los dominios de éste, Wolfgang Wilhelm persiguió sanguinariamente a las brujas, acusándolas de ser responsables hasta de los inconvenientes más domésticos de sus posesiones. El elector palatino Johan Wilhelm estaba convencido de la directa intervención del demonio en el aborto de su mujer, y trató de encontrar a la bruja que había hechizado su casa. En la búsqueda fueron quemadas decenas de mujeres inocentes, cuyo único crimen era su ignorancia y su miedo a la tortura.

Los hechos se precipitaron cuando los enemigos de la reina lograron sustituir al confesor de Carlos por fray Froilán Díaz, quien trataba de anular la influencia de Mariana. Por esos días, unas posesas de Cangas, Asturias, que estaban siendo exorcizadas por un prestigioso enemigo del demonio, fray Antonio Álvarez de Argüelles, en medio de sus declaraciones dijeron que el rey estaba hechizado. Fray Froilán creyó encontrar la solución de los males regios haciendo que fray Antonio de Argüelles preguntara a las endemoniadas el motivo de la enfermedad, o sea, la causa del hechizo. A pesar de que el obispo de Oviedo se negó a tales manejos, declarando que, a su juicio, Carlos II no estaba hechizado, sino «enfermo y falto de voluntad ante su mujer», de todas formas fray Antonio consultó a las posesas, quienes dijeron que, siendo niño, se le había dado a beber al monarca un polvo hecho con sesos y testículos de ajusticiado disueltos en chocolate y que esta solución se la había proporcionado una bella mujer para poder manejarlo a su antojo. La referencia a la madre de Carlos parecía transparente. También se internó el fraile en terrenos de la medicina, diciendo que los remedios que se le proporcionaban no hacían otra cosa que «ponerle la sangre melancólica». Por último recomendaba: «Todos los médicos que tiene el rey son tan desleales y falsos como cuantos andan alrededor de su persona, y los boticarios entran también en el número. Elijan un médico científico y múdese al rey colchones y tarima y toda ropa.» Como médico científico fue elegido —naturalmente— un amigo de fray Froilán.

El remedio consistía en beber agua bendita en ayunas y que el rey se separase totalmente de la reina. (Es preciso señalar que la separación sexual casi existía de hecho porque los médicos sólo permitían el contacto cuando juzgaban que el monarca se encontraba lo suficientemente fuerte para tales ajetreos, cosa que no era frecuente.) De hecho, tras las ingenuidades de los frailes había un manejo político destinado a alejar a Carlos de su influyente cónyuge.

Puesto que el rey estaba hechizado, tenía que ser por fuerza paradiabólica y de diablo importante puesto que se atrevía con el rey. Por ello fuerza fue someterle a exorcismos que debían ser practicados por un sacerdote y en la iglesia del Alcázar, pues en sitio sagrado el diablo podía temer más la acción de Dios. Se escogían testigos, a poder ser eclesiásticos, pero nunca ni mujeres ni menores de edad.

Los exorcismos se celebraban con una gran solemnidad y siempre en latín, por ser la lengua que el demonio prefería para obedecer. El duque de Maura cuenta que cierto cura rural quería exorcizar a una joven haciéndolo en castellano y el diablo por boca de la posesa le dijo:

—Mándeme en latín que salga de esta moza y luego saldré.

El ya citado duque de Maura dice que el *Sacerdotal romano* señalaba así los síntomas de unos y otros para su distinción: «Está hechizado el enfermo cuando se le ha trocado el color natural en pardo y color de cedro, y tiene los ojos apretados y los humores secos, y, al parecer, todos sus miembros ligados. Las señales ordinarias de que uno está juntamente poseído del demonio son un apretón del corazón y boca del estómago, pareciéndole que tiene sobre él una bola; otros sienten unas picaduras como de aguja en el corazón y suele ser tan grande el tormento, que parece que se le comen a bocados, y lo mismo suele suceder en otras partes del cuerpo. A otros les parece que a la garganta se les sube y baja una bola, y algunas veces no pueden retener nada en el estómago de lo que beben o comen para sustentar la vida. Finalmente, la señal más cierta de lo referido es cuando los medicamentos de la medicina nada aprovechan.»[4]

Sería cuento de nunca acabar contar todas las perrerías que hicieron al pobre Carlos II los frailes encargados de los exorcismos. Por ejemplo, una vez encontraron bajo la almohada de la cama del rey un saquito con cáscaras de

4. Véase Agustín Maura (Bibliografía).

huevo, uñas de los pies, cabellos y otras cosas por el estilo. El rey las veneraba como reliquias, aunque no acertaba a recordar quién se las había entregado.

Y la reina continuaba sin tener hijos. Por el pueblo corría una frase que se repetía cada vez que la reina fingía un embarazo:

—Tres vírgenes hay en Madrid: la Almudena, la de Atocha y la reina nuestra señora.

El delirio del rey por tener hijos era tal que al inaugurar el panteón de reyes en El Escorial se dice que quiso ver los cadáveres de sus antecesores y hacer el amor con la reina entre ellos por creer que así conseguiría por su intercesión la sucesión deseada.

En vista de que el heredero no llegaba, Mariana de Neoburgo incita a que nombre heredero del reino al archiduque Carlos de Austria, en quien su padre el emperador Leopoldo y su hermano mayor el archiduque José de Austria han renunciado sus respectivos derechos.

Por otra parte se formaba en la corte un partido francófilo favorable a Felipe, duque de Anjou, nieto de Luis XIV y de María Teresa, hermana mayor de Carlos II. Este candidato parecía el más justo, pero María Teresa había renunciado a la sucesión cuando se firmó la Paz de los Pirineos. La muerte de María Teresa hizo que se entendiese que tal renuncia se hacía extensiva a sus herederos.

Los embajadores de Austria y de Francia, respectivamente el conde de Harrach y el marqués Harcourt, rivalizaban en Madrid por ver cuál de sus dos soberanos se llevaba el gato al agua. Rivalizaban en cortesías y adulaciones, pero sobre todo rivalizaban en dádivas y regalos a la reina, al rey, a los ministros, a los altos eclesiásticos y a cualquier cortesano influyente.

El rey duda en escoger entre los dos candidatos a la sucesión. Su esposa doña Mariana apoya, como es natural, la candidatura de su pariente austriaco, pero el partido francés, dirigido por el cardenal Portocarrero, le insinúa al rey que consulte con el Papa, pues se trata de un caso de conciencia. El rey ignora lo que Portocarrero sabe: que el pontífice y el emperador de Alemania estaban disgustados.

Se envió con urgencia una embajada a Roma con la petición de consejo y urgentemente el Papa Inocencio XII contestó que, «... siendo los descendientes de su hermana mayor doña María Teresa sus herederos más lógicos, a ellos debía ir la corona, siempre que se adoptaran medidas para que no concurriesen la herencia española y la francesa en una misma persona, que es lo que debía interpretarse como espíritu de la renuncia de la infanta».

Doña Mariana no se da por vencida: intriga para convertirse en emperatriz de Alemania casándose con José de Austria. Puros delirios de la pobre señora.

El 3 de octubre de 1700 Carlos II, desoyendo definitivamente a su esposa, firma su testamento, en el que se dice: «Y reconociendo, conforme a diversas consultas de ministros de Estado y Justicia, que la razón en que se funda la renuncia de las señoras doña Ana y doña María Teresa, reynas de Francia, mi tía y hermana, a la sucesión de estos reynos, fue evitar el perjuicio de unirse a la corona de Francia; y reconociendo que viniendo a cesar este motivo fundamental, subsiste el derecho de la sucesión en el pariente más inmediato conforme a las leyes de estos reynos, y que hoy se verifica este caso en el hijo segundo del delfín de Francia; por tanto, arreglándome a dichas leyes, declaro ser mi sucesor (en caso que Dios me lleve sin dejar hijos) el duque de Anjou, hijo segundo del delfín, y como a tal le llamo a la sucesión de todos mis reynos y dominios...»

La vida de Carlos II se va apagando. En su habitación se celebra una misa tras otra y confiesa y comulga cada día. Un día un perrito de la reina hizo mover las sábanas del lecho y el rey creyó que eran brujas que salían de su cubil. A veces imagina que la gente que le rodea está compuesta por diablos y no por cortesanos.

El 1 de noviembre del año 1700, después de una agonía en la que repetía a su esposa: «¡Ya nada somos, señora, ya nada somos!», moría Carlos II, dejando España al borde de una guerra. Le faltaban cinco días para cumplir treinta y nueve años de edad.

Al día siguiente, 2 de noviembre, la *Gaceta de Madrid* escribía: «En el día de ayer fue Dios servido, por sus altísimos juicios y merecido castigo de nuestros pecados, que a la hora del mediodía sobresaltase a su majestad un accidente de fiebres malignas y letargo, con tanto rigor y violencia que le arrebató la vida entre las dos y las tres de la tarde, dejándonos solamente el consuelo de su premeditada y cristiana muerte.»

La reina Mariana quedaba sola. Tan sola que Felipe V,

al ser proclamado rey de España, manda decir al cardenal Portocarrero que no entrará en Madrid mientras ella resida en la corte. La reina cree entender que lo que se le impide es vivir en el alcázar, pero el cardenal Portocarrero la desengaña y la intima a que abandone Madrid y se instale en el alcázar de Toledo.

El 18 de febrero llega Felipe V a Madrid, y no será hasta el 2 de agosto cuando saldrá de Madrid en dirección a Toledo para visitar a la viuda de su tío. Prefiere hacer el viaje que consentir que la reina viuda se traslade a Madrid.

Pero la guerra de Sucesión ha estallado y el archiduque Carlos, pretendiente al trono español, llega en 1706 a Toledo, donde Mariana le recibe con los brazos abiertos y haciendo cantar un tedeum en la catedral.

Pero la victoria se inclinó por Felipe V, que decreta un duro destierro a la reina Mariana, asignándole residencia forzosa en Bayona.

No escarmienta doña Mariana y urde intriga tras intriga para volver a Madrid. La autorización para hacerlo no llegó nunca. Únicamente en 1739 se la autorizó volver a España, pero fijando su residencia en Guadalajara, y allí, desengañada por completo, murió el 16 de julio de 1740, habiendo recibido con devoción la extremaunción y el viático. Sus restos mortales descansan en el panteón de Infantes en El Escorial, frente por frente al de María Luisa de Orleans. Ninguna de las dos pudo ser enterrada en el panteón Real por no haber dado hijos que reinasen en España.

# Apéndices

## PROTOCOLO DE LAS COMIDAS PÚBLICAS DE LOS REYES DE ESPAÑA SEGÚN JOSÉ DELEITO Y PIÑUELA EN SU LIBRO «EL REY SE DIVIERTE»

Cada semana, el mayordomo semanero se presentaba en la cocina de palacio, y designaba la hora a que habían de estar dispuestos cuantos funcionarios intervenían en la comida del rey.

Puerta por puerta iba dándoles aviso el ujier de sala, golpeándola con una varilla de ébano, rematada por coronilla de oro.

El tapicero extendía una gran alfombra en la habitación donde había de comer el monarca. El furrier de palacio hacía instalar en ella la mesa bajo dosel y otras que servían de aparador en sus inmediaciones, colocando convenientemente la silla de su majestad.

Escoltados por la guardia y en orden riguroso de etiqueta, iban procesionalmente los funcionarios de la mesa real, llevando a ésta desde la panetería, primero, y desde la bodega, después, todos los adminículos necesarios: copas, jarros, salvas, salero, manteles, cubiertos, vinos, pan, etc.; pasando cada cosa de mano en mano con arreglo al más prolijo ceremonial.

A la hora señalada salía el rey de su cámara, acompañado por el mayordomo semanero, que tomaba entonces su bastón de mando, y el ujier, golpeando la puerta de la sala con su varilla, decía en alta voz: «¡A la vianda, caballeros!» Todos los oficiales, por su orden, iban en busca de ella a la cocina, escoltados por la guardia.

A su vez, el trinchante semanero se lavaba las manos y se llegaba a la mesa de su majestad, desenvolvía la servilleta en que estaba envuelto el pan, la tomaba por dos puntas y se la ponía al cuello, cortaba el pan, dando primeramente la salva al sumiller de la panetería; y, de lo cortado, ponía encima de un trincheo (plato de mesa para partir) lo que le parecía podría bastar para la comida de su majestad, y el salero, un cuchillo y un palillo, colocando este trincheo, así dispuesto, debajo de un pliegue del mantel, a la derecha del sitio que había de ocupar su majestad, y encima la servilleta de que había de servirse.

Con la misma ceremonia iban a la cocina el mayordomo semanero y sus acompañantes, en busca de los manjares, que recibían de manos del cocinero mayor. El panetier los descubría al mayordomo solamente, tapándolos después con cobertores, sin que quienes los llevaban pudiesen ver lo que tenían dentro. El salsier cuidaba de las salsas, y el panetier mismo era portador del plato que consideraba preferido por el soberano. En la consabida fila profesional, que cerraba la guardia, llegaban a la mesa regia, poniendo en ella los platos por su orden. Entonces entraba el rey en la cámara que servía de comedor. El copero tomaba las fuentes y le servía agua para lavarse las manos. El panetier presentaba una servilleta, que llevaba al hombro, al mayordomo semanero, y éste al mayordomo mayor o a la persona de más categoría que se hallase presente, la cual la trasladaba al soberano, para que se secara. Durante esa operación, el trinchante iba descubriendo los platos que en la mesa había, para que eligiese su majestad y retirar los otros.

El aposentador de palacio esperaba con la silla en las manos y una rodilla hincada en el suelo a que su majestad se sentase. Antes de hacerlo, el prelado de mayor dignidad allí presente bendecía la mesa; a falta de prelado, desempeñaba esta función el limosnero mayor, y en su ausencia, un sumiller de oratorio. Los maceros sin insignias se colocaban a los lados de la tarima para apartar a la gente y procurar no se estorbase el servicio.

Ya sentado el rey a la mesa, servíanle el panetier y el trinchante, mientras el mayordomo semanero permanecía a su lado de pie, con el bastón en la mano. Próximo a éste se hallaba el copero, atento a la menor seña del monarca, para servirle la copa. No era operación sencilla, pues había de tomar aquélla en el aparador, donde el sumiller de la cava la tenía ya dispuesta y tapada. El sumiller se la entregaba y descubría ante el médico de semana, y el copero, volviéndola a tapar, llevábala entonces al rey, escoltado por los maceros y el ujier de sala, y se la servía doblando una rodilla en el suelo, a la vez que sostenía una salva debajo de la copa, mientras bebía el soberano, para evitar que cayera ninguna gota. Hecho lo cual, volvía el copero a depositar la copa en el aparador, y el panetier acudía con una servilleta para que el monarca se limpiase los labios. De suerte que cada sorbo real ponía en movimiento a un tropel de gente, e implicaba molestias y tiempo perdido, incluso para el propio rey, ídolo y víctima de este ritual de la etiqueta.

Repetíase la procesión y el ceremonial a cada nuevo plato o vianda que se traía de la cocina.

Terminados éstos, el panetier servía el postre, consistente en frutas, obleas y confites; el trinchante ponía el pan que sobraba en una fuente de plata, entregándola con destino a los pobres, al limosnero mayor, y éste al mozo de limosna, no sin que éstos dos últimos besaran la fuente.

Lavábase el rey las manos otra vez, y se alzaban los dos manteles que cubrían la mesa; el limosnero daba gracias a Dios, cosa que el monarca oía de pie; el trinchante quitábale las migajas que hubieran caído en su vestido, el mayordomo semanero le acompañaba hasta su cámara, el copero transportaba la copa a la cava con igual acompañamiento que la trajo, y lo propio hacían el sumiller de panetería y sus ayudantes con los enseres de la mesa.

En igual forma que la comida servíase la cena, con la adición del alumbrado de velas y hachas, correspondiente a la dependencia de cerería, y que había de disponerse con tan complicado ceremonial como los demás servicios.

En las comidas más solemnes, los atabales y trompetas se instalaban en el corredor de la escalera principal para tocar cuando se ponía la mesa, cuando se sacaban las viandas y mientras comía el soberano; y, al sentarse éste a la mesa, los maceros se colocaban ante la tarima que la sostenía, y los reyes de armas a ambos lados de aquélla.

Ritual semejante, pero con mayor complicación, presidía las comidas reales, cuando para celebrar la boda de alguna dama de palacio, comía éste públicamente con el rey y la reina juntos, o cuando, el día de San Andrés, el monarca invitaba a su mesa a los caballeros de la orden del Toisón de Oro.

# DE LA INSTRUCCIÓN FEMENINA
## EN EL SIGLO DE ORO

Todas las reinas españolas supieron leer y escribir, dominaban varios idiomas, entre ellos frecuentemente el latín, pero la mujer en general no tenía ninguna cultura y ello es aplicable incluso a damas de alta alcurnia.

Luis Vives escribió en favor de la instrucción femenina, pero lo normal era lo contrario. He aquí lo que dice Mariló Vigil en su magnífico libro *La vida de las mujeres en los siglos* XVI *y* XVII.

Hubo moralistas del siglo XVI que se opusieron a la instrucción femenina; su pensamiento enlazaba con la tradición medieval de desconfianza hacia un incremento de la habilidad de las mujeres. Éstos no aludían a una supuesta «inferioridad natural», sino que preveían lo que podía suceder y se anticipaban a la reacción contra las cultas del siglo XVII. Así, por ejemplo, Juan de la Cerda y Gaspar de Astete se mostraron cautelosos.

Juan de la Cerda refuta a Vives y se manifiesta en contra de que a todas las mujeres se les enseñe a escribir, «no porque de suyo sea malo», sino porque «habemos visto en nuestros tiempos que de saber las doncellas y otras damas escribir, hanse seguido graves inconvenientes, que de tener la pluma en la mano se recrecen». En conclusión, propone que las doncellas aprendan a leer pero no a escribir, para que así no puedan «responder a los billetes que les envían los hombres livianos». Es consciente de que «muchas hay que saben este ejercicio —escribir— y usan bien de él; mas usan otras dél tan mal, que no sería de parecer que lo aprendiesen todas». Pero se da cuenta de que las mujeres que están decididas a burlar los encierros domésticos lo harán sean analfabetas o no: «... aunque no sepan leer no les faltan otras industrias de mucho ingenio que ellas inventan, con que se entienden con sus consortes sin escribirse; porque todas, como muy amestradas de naturaleza, usan luego de unas señas y meneos, respuestas o palabras, con las cuales, como por cifras, agudamente dan a entender sus dañados conceptos». En definitiva, propone que a las doncellas se las enseñe a bordar, hilar, coser, hacer conservas y guisar, y que no se las deje ni un minuto ociosas.

El jesuita Gaspar de Astete es de la misma opinión. Le parece aceptable que todas las doncellas aprendan a leer, pero no que sepan escribir, porque las mujeres no han de ganar «de comer por el escribir ni contar», ni se han «de valer con la pluma como el hombre»; «antes, así como es gloria para el hombre pluma en la mano, y espada en la cinta, así es gloria para la mujer el huso en la mano, y la rueca en la cinta y el ojo en la almohadilla». Dice que la doncella cristiana debe contentarse con saber leer, que por no saber escribir no perderá su honor ni su reputación, y que escribir no le es necesario y le puede ser dañoso, «como la experiencia enseña». «Porque muchas mujeres andan y perseveran en malos tratos, porque se ayudan del escribir para responder a las cartas que reciben y como escriben por su mano encubren mejor los tratos que traen y hacen más seguramente lo que quieren, mas si hubiesen de escribir por mano ajena [...] cesarían de vivir mal, por no fiar su vida del poco secreto y recato que hay en algunas personas terceras.» Tanto De la Cerda como Astete son partidarios de que le enseñe a la doncella a leer su madre, en casa, o algún maestro particular de confianza. De la Cerda advierte a la madre que, si contrata a un profesor, no lo deje nunca solo con la discípula, porque en situaciones así «se han sucedido casos muy ruines». Astete afirma que a los chicos es más conveniente llevarlos a aprender a las escuelas públicas y comunes, pero no a las chicas, «porque del trato y de la conversación con los muchachos de la escuela (que suelen ser libres, traviesos y deshonestos) se les puede pegar alguna roña de libertad y malas costumbres». Además, si la niña va a aprender al colegio se acostumbra a salir fuera de casa, «se hace callejera y amiga de ver gente, lo cual en cualquier mujer es cosa reprensible». Según él, en casa deben enseñar a la doncella «a tomar la rueca en la cinta, y el huso en la mano y hacer sus mazorcas, y echar sus telas de lana y lino».

# CÓMO SE VISTE Y ALIÑA UNA MUJER ELEGANTE

Del tocado de una mujer elegante, o deseosa de serlo, tenemos dos detallados relatos de la época, llenos de animación: el de Zabaleta y el de Madame d'Aulnoy. Zabaleta se expresaba así:

«Amanece el día de fiesta para la dama; se levanta del lecho y entra en el tocador en enaguas y justillo. Se sienta en una almohada pequeña; engólfase en el peinador, pone a su lado derecho la arquilla de los medicamentos de la hermosura y saca mil aderezos. Mientras se transpinta por delante, la está blanqueando por detrás la criada. En teniendo el rostro aderezado, parte al aliño de la cabeza. Péinase no sin trabajo, porque halla el cabello apretado en trenzas. Recoge parte de él y parte deja libre, como al uso se le antoja que es llevarlo crecido. Pónese luego lazadas de cintas de colores hasta parecer que tiene la cabeza florida. Esto hecho, se pone el *guardainfante*. Éste es el desatino más torpe en que el ansia de parecer bien ha caído. Échase sobre el guardainfante una *pollera,* con unos ríos de oro por guarniciones. Coloca sobre la pollera una basquiña con tanto ruedo que, colgada, podía servir de pabellón. Ahuécasela mucho porque haga más pompa. Entra luego por detrás en un jubón emballenado, el que queda como un peto fuerte... y las mangas abiertas en forma de barco, en una camisa que se trasluce.» Después de señalar las atrevidas desnudeces que las aberturas del jubón enseñan, prosigue así: «Lo que tiene muy cumplido el jubón, quizá porque no es menester, son los faldones, y tan cumplidos y tan grandes que, echados sobre la cabeza, pueden servir de mantellina.

»Llega la *valona cariñana* (llamada así por ser tomada

de la princesa de Carignan, que estuvo en Madrid), que es como una muceta con miles de labores. Ésta se prende todo alrededor del corpiño, y próxima a los hombros y escote. Por la garganta y sobre la valona corre un chorro de oro y perlas. Colócase como sobretodo un manto de humo, llamado así por lo sutil, quedando el traje transparentándose en el manto. Los guantes de vueltas labradas, la *estufilla* de marta, en invierno, y el abanico en verano, son los indumentos que completan este traje de la dama para salir a la calle en día de fiesta, el que de ordinario se viste también.»

Madame d'Aulnoy describe *de visu* cómo se pintaba y perfumaba una de las señoras de su amistad, en estos términos:

»Luego cogió un frasco lleno de colorete, y con un pincel se lo puso no sólo en las mejillas, en la barba, en los labios, en las orejas y en la frente, sino también en las palmas de las manos y en los hombros. Díjome que así se pintaba todas las noches al acostarse y todas las mañanas al levantarse; que no le agradaba mucho acicalarse de tal modo, y que de buena gana dejaría de usar el colorete; pero que, siendo una costumbre tan admitida, no era posible prescindir, apareciendo, por muy buenos colores que se tuvieran, pálida como una enferma, cuando se compararan los naturales con los debidos a los afeites de otras damas. Una de sus doncellas la perfumó luego desde los pies a la cabeza con excelentes pastillas; otra la roció con agua de azahar, tomada sorbo a sorbo, y, con los dientes cerrados, impelida en tenues gotas para refrescar el cuerpo de su señora. Díjome que nada estropeaba tanto los dientes como esta manera de rociar; pero que así el agua olía mucho mejor, lo cual dudo, y me parece muy desagradable que una vieja, como la que cumplía tal empleo, arroje a la cara de una dama el agua que tiene en la boca.»

## ALGUNOS ASPECTOS DE LA CORTE SEGÚN EL VIAJE POR ESPAÑA DE LA CONDESA D'AULNOY

Descripción de una señora:

«Estaba sin gorro ni cofia, separados por la mitad los cabellos, atados detrás de la cabeza con una cinta y enfundados en tafetán rojo. Era su camisa de lienzo finísimo, tan amplia que parecía alba de clérigo, con mangas iguales en tamaño a las de los hombres, abotonadas en la muñeca con diamantes y ribeteadas, así como el cuello, con seda de tejido floreado, azul y color de carne. Llevaba puños de tafetán blancos y descansaba sobre varias, atadas con cintas y guarnecidas con ancho y fino encaje. Me pareció muy linda la colcha, de puntilla española, hecha con seda y oro sobre dibujo de flores. La cama era toda ella de cobre sobredorado; tenía boliches de marfil y ébano; y adornaban la cabecera cuatro filas de pequeños balustres de cobre, muy bien cincelados.

»Pidióme licencia para levantarse; pero cuando se hubo de calzar mandó cerrar con llave la puerta de la habitación y correr el pestillo. Preguntéle intrigada contra quién iban tan severas precauciones, y me contestó estar advertida de haber llegado conmigo varios caballeros españoles, y antes de exponerse a que pudieran ellos ver desnudos sus pies prefería la muerte.»

Un caballero invita a comer a la condesa:

«Don Agustín me tomó de la mano y me condujo por descendiente escalera de mármol a un salón cuyas paredes se adornaban con cuadros en vez de tapices y en el contorno del cual se alineaban los cojines. Estaba puesta allí la mesa para los caballeros y se veía en el suelo un mantel con tres cubiertos, destinados a doña Teresa, a mi hija y a mí.»

El duque de Maura y Agustín González-Amezúa, al comentar este párrafo, dicen que esta práctica tradicional española, desusada cada vez más en Madrid, pero conservada todavía en provincias a fines del siglo XVII, dificultó a madame d'Aulnoy comer en tan incómoda postura, y advertido su embarazo por los caballeros presentes se apresuraron éstos a levantarse, invitándola a ocupar puesto en la mesa. Negóse ella a acceder si no la acompañaba su huéspeda y se derogó por esta vez el protocolo y fue entonces su amiga española quien hubo de afrontar las dificultades de usanza tan insólita para ella.


Descripción de un coche:

«Vi llegar dos carrozas, tiradas por seis mulas cada una, a galope tendido, más veloz que pudiera serlo el de caballos. Todavía aumentó mi sorpresa su atalaje. Entre las dos ocupaban un cuarto de legua. Tenía una de ellas seis cristales tan grandes como los nuestros. (Hacía, en efecto, medio siglo que Medina de las Torres, al regreso de su virreinato de Nápoles, introdujo en España esa novedad de los vidrios, no usada hasta entonces ni aun por los reyes.) La imperial de estos vehículos españoles es más baja y por ende más incómoda que las francesas. Adornaba el interior del coche una cornisa de madera dorada, tan ancha como la de las habitaciones, e iba dorada también por fuera, lujo permitido únicamente a embajadores y demás extranjeros, siendo sus cortinas de damasco y paño cosidos ensambladamente. Cabalgaba el cochero una de las mulas delanteras dejando vacío el pescante. Pregunté a don Federico de Cardona la razón de esta novedad, y me refirió haberse introducido tal costumbre desde que un cochero de Olivares sorprendió y divulgó grave secreto de Estado dicho por el conde-duque a un amigo acompañante, a quien tachó de infidente hasta que se hubo descubierto al culpable. Los tiros son de seda o de cuerdas, extraordinariamente largos, al punto de distar las mulas más de tres varas entre sí. No me explico cómo no se rompen con la violencia del galope, si bien es cierto que ese paso veloz no se estila sino en carretera y se compensa con el cansino, usual entre calles, fatigosamente recorridas. Dentro de

Madrid no se permite más de cuatro mulas; pero llevan siempre postillón. Venía mi parienta en la primera carroza con tres damas españolas. Los escuderos y pajes seguían en la otra, de diferente hechura. Eran sus portezuelas por el estilo de las antiguas nuestras y se desarticulaban llegando hasta el suelo, de modo que cuando bajan las señoras, no se les ve el pie ni aun el zapato. Tenía espejos, como de dos palmos, colgados a derecha e izquierda, y vidrios delantero y trasero para llamar a los lacayos, en todo semejantes a mirillas de desván. Cubría por entero la baca una funda de barragán, con luengas haldas sujetas a las tirillas de cuero de la capota por grandes botones. El aspecto es feo y la comodidad nula, porque se ha de ir debajo como un cofre cerrado.»

Sobre los criados dice cosas muy curiosas:

«No es sorprendente el crecido número de subalternos, porque lo determinan dos razones: la primera, remunerarlos para alimento y salario con sólo dos reales y medio al día, equivalentes en total a siete sueldos y medio franceses, mientras los extranjeros les han de pagar a cuatro. A los gentileshombres se les abonan no más de quince escudos al mes, obligándolos a vestir de terciopelo en invierno y de tafetán en verano, con lo cual se han de alimentar los infelices de ajos, guisantes y comistrajos por ese estilo, echando fama los pajes de ser más ladrones que urracas, aunque verdaderamente no les van en zaga los de otros oficios. Los españoles, en general, asombran tanto por su sobriedad cuando han de pagar la comida como por su glotonería cuando se nutren a costa ajena. Abundan en las esquinas de calles y plazas las cocinas públicas que consisten en grandes calderos, montados sobre trébedes calefactoras.»

Esta afirmación de la viajera es rigurosamente exacta: los madrileños llamaban a esos tenderetes *bodegones de puntapié*, y en ellos se expendía el clásico cocido u olla podrida, muy sabroso en ocasiones. La exageración, a que es tan propensa la narradora, aparece en este párrafo:

«No se encuentran allí sino alimentos tales como habas, ajos, cebollas y un poco de caldo de cocido en el que se empapa el pan. Acuden a comprarlo criados de todas las categorías, incluso gentileshombres y azafatas, porque lo normal es que en cada casa se aderece comida únicamente para los amos y sus hijos. En el beber son todos muy morigerados; las mujeres no prueban el vino; a los hombres les basta un cuartillo diario y la mayor ofensa que se puede inferir a un español es llamarle borracho.

»La segunda causa del exceso de servidumbre —sigue diciendo— consiste en heredar el hijo los criados del padre, aunque pasen de ciento y tenga él otros tantos. Si la fallecida es la madre, entran las criadas al servicio de la hija o de la nuera, y esta norma se aplica de generación en generación, porque a los nacidos en la casa no se los despide nunca. Se reduce la obligación de casi todos ellos a comparecer de cuando en cuando para acreditar que existen y prestar entonces algún minúsculo servicio.

»En mi reciente visita a la duquesa de Osuna me llamó la atención el gran número de doncellas y dueñas que vi en los salones al pasar. Le pregunté por curiosidad cuántas criadas tenía y me contestó que solamente trescientas, por haberse reducido a ese número el poco anterior de quinientas. El rey observa con más estricta puntualidad esa tradicional costumbre y carga con fabulosa cáfila de servidores que no le sirven para nada. Me han asegurado que sólo en Madrid distribuye a diario, en dinero o en especie, diez mil raciones, consistentes, según la categoría de la persona, en cantidades mayores o menores de estos artículos: carnes, aves, caza, pescado, chocolate, frutas, hielo, carbón, velas, aceite, pan y, en una palabra, todo lo necesario para la vida.

»La Pragmática prohíbe sacar más de dos lacayos, sin otras excepciones que los embajadores y extranjeros de paso. Hay, pues, quien sostiene cuatrocientas o quinientas personas, de las cuales sólo tres le pueden acompañar cada vez. La tercera es un caballerizo, obligado a caminar junto a las bestias para impedir que los tiros largos se enreden en sus patas. Por lo común son todos ellos hombres maduros de hasta cincuenta años (rarísima vez jóvenes menores de treinta), mal encarados, macilentos y sucios. Gentileshombres y pajes van en la carroza de escolta, vestidos siempre de negro; los últimos no llevan espada, sino un puñalete oculto.

»A grandes y títulos se les permite circular por la villa con cuatro mulas y tiros largos; ese atalaje está vedado a los demás, sean cuales fueren su posición y medios de fortuna; el contraventor se expone a que le corten los tiros en plena calle, imponiéndole muy crecida multa, porque no basta tener dinero para adquirir todo ello, si no se reúne calidad que permita disfrutar de ese privilegio. Está reservado al rey, dentro de Madrid, el tiro de seis mulas, así en su carroza como en las que le siguen. Las que usa no se parecen a las de Francia, distinguiéndose fácilmente por ir forradas de hule verde y tener techo redondo, como nuestras diligencias; pero no están hechas de mimbre, sino de madera, aunque mal tallada. El rey y algunos señores poseen otras magníficas, fabricadas en Francia o en Italia; mas no las sacan sino cuatro veces al año.

»Las casas provistas de gran patio interior (y las hay diseminadas por todos los barrios) se aprovechan para cocherones, donde encierran a veces hasta doscientas carrozas. Empieza a cundir la moda de reemplazar las mulas por caballos, que son realmente preciosos, y da grima verlos enganchados a esos armatostes pesadísimos que han de arrastrar por vías pésimamente pavimentadas, donde en menos de dos años se dejarán los cascos. Los he visto, en cambio, llevar ágiles como ciervos y erguida la cabeza unas calesillas muy lindas, pintadas, doradas y provistas de fuelle, como las de Holanda.»

De los párrafos anteriores se desprende el origen de la frase «ir de tiros largos» para designar a una persona muy elegante o endomingada.


He aquí la descripción del tocado o vestido de una dama de la corte:

«A la hora fija, todas las mujeres de la casa se reúnen con la señora en la capilla para rezar el rosario. En ello consiste su mayor devoción, siendo rarísimo verlas leer en la iglesia; llevan todas, en cambio, un rosario que cuelga de la cintura casi hasta el suelo. Usaban hasta hace algunos años guardainfantes enormes, tan incómodos para las portadoras como para los demás. Ya no se estilan sino cuando se ha de acudir a la audiencia de la reina o del rey; y se les ha sustituido a diario por tontillos o sacristanes, que consisten en cuatro o cinco aros de latón, de amplitud creciente talle abajo, sujetos unos a otros por cintas y sobre las cuales se ponen los refajos, cuyo número resulta inverosímilmente desproporcionado con la estatura normal de estas mujeres. La falda es de grueso tafetán negro o agrisado pelo de cabra, con ancha lorza circular, algo más alta que las rodillas, a fin de poder alargar la prenda cuando se rozan los bordes; no cuelga nunca por detrás, pero sí a los lados y por delante, tapando los tobillos y hasta los zapatos, que parecen de muñeca y son de tafilete negro forrado de tafetán de color. Las españolas no usan tacones; andan 'muy de prisa con los codos pegados al cuerpo, sin levantar los pies, como si patinasen, con soltura y gracia que no tenemos las francesas. Las faldas bajeras llegan a ser hasta doce, de telas preciosas, galones y puntillas de oro y plata; en verano no se llevan sino siete u ocho, pero algunas de terciopelo o satén; la más inmediata al cuerpo, llamada enagua, es siempre blanca, de encaje inglés o muselina recamada con oro y cuatro varas de vuelo. El corpiño, sin ballenas, o pequeñísimas, alto por delante, deja ver media espalda, espectáculo nada atractivo, a causa de la extrema delgadez que impone la moda y del color moreno de la piel, perceptible a pesar del colorete y del óptimo blanquete, usados con muy poco arte. Correctas y finas de facciones, prodigan los dengues afectados. Consideran los pechos antiestéticos y desde muy jóvenes procuran evitar que crezcan. Sus manos son perfectas, pequeñas y blancas; contribuyen a que lo parezcan así las mangas de seda, amplísimas, ajustadas a la muñeca por puños de encaje que suben hasta el codo. Las de la camisa no se ven, aparte ser raro el uso de ropa blanca, salvo entre gentes de calidad. Escasea el artículo en este país y el lienzo fino, único aceptado aquí, resulta carísimo; pero prefieren no tener más que una camisa de ese género a comprar por el mismo precio media docena de las ordinarias, aunque hayan de ir sin ella o quedarse en la cama el día en que la hacen lavar. Además, las lavanderas, incluso las mejores, golpean bárbaramente la ropa contra unas piedras muy ásperas, destrozándola.

»Se usan cuellos de encaje, de hilo de seda, roja o verde, de oro o de plata; los cinturones están hechos a veces con monedas y relicarios, colgando de ellos cordones de San Francisco, del Carmen o de otros hábitos, cuyos nudos se señalan en ocasiones con piedras preciosas. No se estila lucir las señoras un único aderezo como en Francia, sino ir cubiertas de joyas; en vez de collares llevan cadenas o bandas de diamantes, perlas, rubíes, esmeraldas y otras gemas, pulseras, sortijas y pendientes pesadísimos con colgantes estrambóticos, tales como relojes, llaves o cascabeles. En mangas y hombros ponen profusión de *Agnus dei* e imágenes de santos, y en el pelo, alfileres con cabeza de diamante o mariposas cuyos colores imitan piedras preciosas. Pero todas estas alhajas están mal fabricadas por impericia de los joyeros, que no saben sujetar los diamantes sin cubrirles de oro casi por completo. Los peinados difieren mucho; llevan una raya al lado, recogiendo el pelo al otro, después de cubrir la frente y dándole tanto brillo que es posible mirarse en él; gastan algunos postizos, indignos de su cabello natural, generalmente admirable, y para no mezclarlos con éste los dejan caer sobre la espalda; se hacen, otras, cinco trenzas, que anudan con cintas o hilos de perlas. No llevan gorros ni ningún cubrecabeza, salvo, si acaso, unas plumas finísimas de muy bellos colores, moda que se debería introducir en Francia.»


Una reunión aristocrática:

«El salón de recibo donde se reunieron aquella tarde más de sesenta visitas femeninas, sin una sola masculina, era una amplia galería regiamente tapizada y amueblada con cojines largos y estrechos, de terciopelo carmesí y franjas de oro; bufetes con pedrería engastada de los que no se fabrican en España; mesas de plata, cómodas y espejos admirables, tanto por su tamaño como por la riqueza de sus marcos, siendo los más pobres de plata. Todavía me agradaron más los *escaparates,* que son vitrinas repletas de objetos primorosos, de ámbar gris, porcelana, cristal de roca, maderas rarísimas, coral, nácar, filigrana de oro y otras peregrinas materias. Sentábanse las señoras en el suelo, cruzando las piernas a usanza mora; por mi parte, como no me habitúo a esa postura, utilicé los cojines. Un grupo de seis se apiñaba en torno de un brasero de plata, desbordante de huesos de aceituna, que dan calor sin tufo. El enano o enana de turno anunciaba a cada recién llegada, hincando una rodilla. No se saludan estas españolas besándose, sino dándose la mano desenguantada; y tampoco se tratan con el título sino que se hablan de tú, llamándose por sus nombres de pila: doña María, doña Clara, doña Teresa. Procede esta familiaridad de no estilarse aquí los matrimonios desiguales, como en Francia, ni alterna nunca en el trato social los nobles con quienes no lo son.

»Muy calladamente jugaban algunas al "hombre", en dos mesas prevenidas al efecto con naipes de figuras muy distintas de las nuestras y mucho más delgados. Observé cuán raras son las picadas de viruela, enfermedad que ha de ser aquí menos frecuente que entre nosotros, a pesar de lo cual abusan del afeite, al punto de parecer charoladas, porque emplean un barniz hecho de clara de huevo batida con azúcar cande. Se depilan las cejas, dejándolas reducidas a línea muy tenue, en lo posible continua, de sien a sien. Su principal belleza reside en los ojos, vivos y expresivos. Los dientes, iguales y blancos, las favorecerían mucho también si no los descuidasen, estropeándolos además con el abuso del azúcar y el chocolate. Tienen, al igual que los hombres, el feo hábito de hurgárselos en público con un palillo, y cuando se los han de arrancar, recurren a los cirujanos porque no disponen de especialistas.

»Llegada la hora de la merienda circularon entre nosotras hasta dieciocho doncellas, llevando sendas bandejas de plata llenas de dulces envueltos en papel dorado; por ejemplo: una ciruela, una cereza, un albaricoque, etc. Ello permite no mancharse las manos ni los bolsillos, donde algunas señoras de las más ancianas guardaron hasta cinco y seis pañuelos que habían traído a posta para hacer esa provisión, sin recato alguno. Se sirvió luego el chocolate en tazas de porcelana, con platillo de ágata guarnecido de oro y azucarero semejante. Lo había frío, caliente, con leche o con huevos. Se toma con bizcochos o tostaditas de pan, asadas ex profeso. Hay personas que se beben seis tazas seguidas dos o tres veces al día, y así están ellas de resecas, porque es alimento muy cálido, aparte del abuso de las especias propio de esta cocina. Algunas mascaban búcaros o barros, muy gustados aquí, porque preservan, según dicen, del veneno y de otros males. A mí me parecieron detestables. El vino es bastante malo; en cambio, el agua, excelente, se bebe siempre fría, sobre todo después del chocolate, helada con nieve, más refrigerante que el hielo.

»Concluida la colación, trajeron las luces. Entró un hombrecillo encanecido ya, que era el primer mayordomo y llevaba al cuello una cadena de oro con medalla colgante, regalo de boda de la Monteleón, e hincando en tierra una rodilla, dijo en alta voz desde el centro de la galería:

»—¡Alabado sea el santísimo sacramento!

»Contestando todas:

»—¡Sea por siempre!

»Hecha, según costumbre, esta jaculatoria, entraron por parejas hasta veinticuatro pajes, llevando cada uno dos grandes candelabros o *velones* (aparato bien conocido de los españoles que la francesa describe detalladamente y alaba sin reservas), y luego de la acostumbrada genuflexión, los distribuyeron sobre mesas y escaparates, retirándose tan ordenadamente como entraron. Hiciéronse entonces las señoras unas a otras profundas reverencias acompañándolas de frases análogas a las que se dicen cuando alguien estornuda. La recién casada ordenó luego que trajesen sus vestidos para mostrármelos. Vinieron las doncellas con treinta excusabarajas de plata, del tamaño de las cestas que usamos ahí para llevar los cubiertos a la mesa, y tan pesadas, que habían de traer cada una entre cuatro. Contenían primores y riquezas de la moda actual en España. Llamaron mi atención seis pequeños justillos de brocado de oro y plata, provistos cada uno con seis docenas de botones de diamantes o esmeraldas. La ropa blanca y los encajes no desmerecían de lo demás. Me enseñó luego sus alhajas, admirables también, pero mal montadas, como de costumbre, al extremo de que el brillante mayor parecía más pequeño que uno de treinta luises hábilmente presentado por cualquier joyero de París.»

Esta costumbre de mascar barro que hoy nos parece inverosímil estuvo muy en boga en España durante el Siglo de Oro. Todos los autores de la época hablan de ello y de la subsiguiente opilación o restreñimiento que naturalmente producía. El barro muy perfumado que se ofrecía a las damas en forma de pequeños búcaros que se roían y se mascaban como hoy el chicle, pero con consecuencias nefastas para los dientes y la salud.

Las mujeres en la iglesia:

«Las mujeres que frecuentan las iglesias acostumbran oír dos, tres y hasta una docena de misas; pero tan distraídamente que muestran bien a las claras estar pensando en otra cosa. Llevan manguitos de a media vara, hechos con la mejor marta cebellina, que no habrán costado menos de cuatrocientos o quinientos escudos; y los han de subir brazo arriba para sacar las puntas de los dedos. Usan también abanicos, tanto en verano como en invierno, y ni aun durante el santo sacrificio cesan de darse aire con ellos. Se sientan sobre las piernas y toman incesantemente rapé, pero sin mancharse, porque en esto, como en lo demás, son sus maneras correctas y pulcras. Durante la elevación, hombres y mujeres se golpean el pecho hasta una veintena de veces, con tanto estrépito que parece armada una riña. Los galanes se apresuran a rodear la pila de agua bendita apenas termina el oficio, para ofrecerla a las damas de su agrado, con algún piropo suplementario, al que saben ellas corresponder sobria y discretamente. El nuncio del Papa acaba de prohibir esa costumbre, conminando a los infractores con pena de excomunión.

El teatro de Carlos II y el rey:
«La sala de comedias es de bella traza, muy espaciosa, con ricos adornos de talla y dorados. Caben holgadamente en cada palco hasta doce personas; tienen todos ellos celosías, y el del rey mucho oro. No hay localidades de orquesta ni de anfiteatro sino únicamente bancos en la luneta donde se acomoda el público. Fue allí donde por primera vez pude ver a Carlos II, cuando entreabrió las celosías de su palco para contemplar mejor el nuestro, apenas hubo advertido en él la presencia de señoras vestidas a la francesa. Se estaba estrenando la ópera *Alcina;* pero este día presté escasa atención al escenario porque la atrajo casi por entero el rey. Tiene el cutis muy fino y blanco; los ojos bonitos; la mirada suave; el rostro excesivamente alargado y estrecho, los labios gruesos, como todos los Austria; la boca grande; la nariz acentuadamente aguileña; el mentón prominente, combado hacia arriba; el pelo abundante y rubio (en realidad castaño claro), muy lacio y recogido detrás de las orejas; el talle más bien alto, bastante esbelto; las piernas flacas, casi rectilíneas.
»Es naturalmente bondadoso; gusta de ejercitar la clemencia; entre todos los consejos que recibe, opta por seguir el que juzga más favorable para su pueblo, al que profesa verdadero amor; nunca vengativo, es sobrio, dadivoso, devoto, inclinado al bien, ecuánime y de fácil acceso.

No llegó a recibir la educación indispensable para que se pudiese formar su entendimiento, del que, en verdad, no se halla desprovisto.»

El duque de Maura y Agustín González-Amezúa comentan este retrato de Carlos II diciendo que, aunque físicamente favorecido el original (como suele ocurrir en los retratos), es este del último Austria bastante concorde con la realidad de 1679, empeorada desde poco después, año tras año, por los precoces achaques del depauperado fruto senil de Felipe IV. Pero la silueta moral tiene perfiles mucho más exactos que han solido serlo cuantos se trazaron en historias extranjeras y aún en algunas nacionales.


Una anécdota curiosa:

«Muy cerca de palacio se prendió hace poco, disfrazada de hombre, a cierta hermosa cortesana madrileña agresora de su amante, contra quien decía tener justos agravios. Habíala él reconocido en el porte, sospechando sus intenciones, pero la creyó incapaz de ponerlas en práctica; y acercándose a ella descubrió el jubón, invitándola a descargar el golpe asesino, que no se demoró, dejándole muy gravemente herido. Se arremolinó el público, informaron algunos señores al rey de lo que ocurría allí cerca y mandó Carlos II comparecer a la culpable, que había ya dado muestras de arrepentimiento, arañándose el rostro y mesándose los cabellos apenas vio correr, por obra suya, la sangre de su adorado.

»—Si tanto te aflige tu venganza, ¿por qué la tomaste? —preguntó su majestad.

»—¡Oh, señor! —contestó la interpelada—. Estoy sufriendo ya la pena de mi culpa y suplico a vuestra majestad que me mande quitar la vida, como lo merezco.

»Compadecido el rey, dijo, volviéndose a los circunstantes:

»—No creo que haya en el mundo desgracia que supere a la de amar sin ser correspondido. Vete, mujer; el exceso de amor te enajenó el entendimiento; enmiéndate y no abuses de la libertad que te concedo.»


«Los extranjeros gustan de visitar o frecuentar Madrid menos que otras capitales, y tienen razón; porque si no consiguen procurarse algún alojamiento particular, corren riesgo de padecer pésimo hospedaje, siendo rarísimo que los españoles admitan en su interior a ningún extraño, a causa de lo celosamente que guardan a sus mujeres. No existen en esta Villa y Corte sino dos hospederías aceptables, provista una de ellas de cocina francesa; pero, por ser ambas de escasa capacidad, están casi siempre llenas, y entonces no hay donde acogerse. Además resulta difícil encontrar coche. Las carrozas de alquiler escasean; y si bien abundan las sillas de manos, ningún varón se resigna a ir en ellas como no se sienta enfermo o valetudinario. Lo mejor de este país, que son las mujeres, está vedado a quien viene de fuera; pues aquellas cuyo acceso es fácil constituyen serio peligro para la salud. Afrontan impávidos ese riesgo los naturales, puesto que se amanceban desde muy jóvenes, aunque se hayan de arrepentir no menos presto.

»Rarísimas son las personas de uno u otro sexo, sin exceptuar las distinguidas, que no están afectadas por alguna dolencia venérea; los niños las padecen congénitas y las doncellas adquiridas inocentemente por contagio. No debe de tener aquí ese mal la virulencia que en otros países, siendo raro que produzca la pérdida de cabellos y dientes. Se habla del asunto en la mejor sociedad, incluso delante del rey o de grandes señoras, tan naturalmente como de fiebres o jaquecas.

»Las cualidades de los próceres de por acá no se acompasan con sus linajes. Abundan los que se jactan de descender de reyes castellanos, navarros, aragoneses o portugueses; pero, salvo contadas excepciones, cuidan poco de emular las virtudes de esos mayores suyos. No estudian ni reciben educación de buenos preceptores; y si optan por la carrera de las armas, no aprenden latín, ni historia, ni se perfeccionan siquiera en la matemática, la esgrima y la equitación. No existen academias donde todo ello se enseñe. Paseos y galanterías acaparan la actividad de esta juventud, que se tiene por la primera del mundo, desdeña todo lo extranjero y considera a Madrid antesala del paraíso.

»Están deseando volver a él hasta los magnates que se enriquecen en gobiernos remotos, cuyo saqueo les redondea durante el quinquenio de su disfrute. No destinan esos caudales a adquirir tierras, sino que los guardan en cofres, dilapidándolos mientras duran, descuidados del mañana, al cual proveerá el rey con nuevo virreinato.

»Raro es el padre que envía a viajar a su heredero; y se estila casarlos jóvenes, a los dieciséis o diecisiete años, con mujeres todavía menos formadas. El matrimonio confiere a ellos y a ellas aplomo e independencia de personas mayores y se juzgan capacitados para desempeñar altos cargos, ejerciendo autoridad sobre quienes les son muy superiores por todos conceptos.

»Pero, dando al césar lo que es del césar, se ha de reconocer que el español bien educado, si ha visto mundo, descuella sobre los demás hombres. La naturaleza dotó a las gentes de este país de talento natural, vivacidad de carácter, no exenta de reflexión; palabra y dialéctica fáciles, excelente memoria, estilo literario claro y conciso; comprensión rápida; capacidad de asimilación y de intuición política; y, cuando es preciso, son muy capaces de extremar la sobriedad de costumbres y el amor al trabajo. Los hay que reúnen todas las virtudes del perfecto caballero: esplendidez, discreción, fidelidad y valor.»

# Bibliografía

ALTAYO, Isabel, y NOGUÉS, Paloma, *Juana I, la reina cautiva*, Sílex, Madrid, 1985. Interesante estudio del que se desprende que Juana *la Loca* estuvo cautiva más por razones políticas que por enfermedad mental.

AULNOY, Madame d', *Viaje por España*, Aguilar, Madrid. En el segundo volumen de los *Viajes de extranjeros por España y Portugal*, de García Mercadal.

BALANSÓ, Juan, *La casa real de España. Historia humana de una familia*, Mirasierra, Madrid. Gran obra profusamente ilustrada que ha sido copiada muchas veces sin citar la procedencia. Lástima que de las 408 páginas del libro, más de la mitad, exactamente 225, estén dedicadas a Alfonso XII y sucesores, lo que marca una diferencia de trato considerable.

COMENGE, Luis, *Clínica egregia*, Henrich, Barcelona, 1895. Excelente libro que, pese a su edad, se conserva joven e interesante, teniendo en cuenta los adelantos de la ciencia médica y su nuevo vocabulario.

DEFOURNEAUX, Marcellin, *La vida cotidiana en la España del Siglo de Oro*, Argos-Vergara, Barcelona, 1983. Espléndida obra del célebre hispanista francés. Es de lamentar que no haya continuado la traducción de la colección francesa "La vie quotidienne", tan interesante por todos los conceptos.

DELEITO y PIÑUELA, José, *La mujer, la casa y la moda en la España del Rey Poeta*, Espasa-Calpe, Madrid, 1946.

— *El rey se divierte. Recuerdos de hace tres siglos*, Espasa-Calpe, Madrid, 1935.

— *La vida religiosa española bajo el cuarto Felipe*, Espasa-

195

Calpe, Madrid, 1952. Estos tres libros forman parte de una serie dedicada a la época de Felipe IV. La muerte interrumpió la tarea del investigador, que prometía más volúmenes. Sería interesante que otro historiador continuara la colección a base de las fichas que, sin duda, habrá dejado Deleito.

*Diccionario de Historia de España*, Alianza Editorial, Madrid, 1979. La mayor parte de los artículos consultados van firmados por P[edro] A[guado] B[leye].

GACHARD, Prospère, *Don Carlos y Felipe II* (Trad. de A. Escarpizo), El Escorial Swan, 1984. Obra clásica en una excelente traducción y un no menos meritorio prólogo.

GONZÁLEZ CREMONA, Juan Manuel, *Soberanas de la casa de Austria. (Vida, milagros, amores y devaneos de las reinas de la casa de Austria)*, Ediciones Mitre, Barcelona, 1987.

GONZÁLEZ-DORIA, Fernando, *Las reinas de España*, Cometa, Madrid, 1981. Este libro y el anterior han formado el cañamazo de esta obra. Son dos libros, el primero más de divulgación, el segundo más documentado, dignos de adquisición y lectura que recomiendo a quien quiera ampliar noticias.

MARAÑÓN, Gregorio, *Don Juan. Ensayos sobre el origen de su leyenda*, Espasa-Calpe, Madrid, 1960. Un libro clásico imprescindible para comprender la época.

MAURA, duque de, y GONZÁLEZ-AMEZÚA, Agustín, *Fantasías y realidades del viaje a Madrid de la condesa d'Aulnoy*, Calleja, Madrid.

MONREAL, Julio, *Cuadros viejos. Colección de pinceladas, toques y esbozos representando costumbres españolas del siglo XVII*, Ilustración española y americana, Madrid, 1878. Interesante colección de artículos, que, en forma novelada, demuestra una erudición pasmosa sobre la época.

MORAGAS, Jerónimo de, *De Carlos I emperador a Carlos II "el Hechizado". Historia humana de una dinastía*, Juventud, 1983. Un gran libro, escrito por un médico humanista, que entusiasmará al lector.

NADAL, Santiago, *Las cuatro mujeres de Felipe II*, Mercedes, Barcelona, 1944. Imprescindible estudio sobre las cuatro esposas del rey. Muy documentado.

SALAS, Horacio, *La España barroca*, Altalena, Madrid, 1978. Estupendo libro de la colección "La historia informal" que es una lástima que no se continúe.

VALLEJO-NÁGERA, Juan Antonio, *Locos egregios*. Dossat, Madrid, 1978. Interesantísimo como todos los libros de este autor.

VIGIL, Mariló, *La vida de las mujeres en los siglos XVI y XVII*, Siglo XXI Ed., Madrid, 1986. Excelente libro lleno de curiosidades y exposición magnífica del tema.

# Índice onomástico

Impreso en Talleres Gráficos
DUPLEX, S. A.
Ciudad de Asunción, 26
08030 Barcelona